MAMETZ

MAMETZ

NOFEL GAN

ALUN COB

Gomer

Cyhoeddwyd yn 2016 gan
Wasg Gomer, Llandysul, Ceredigion SA44 4JL
www.gomer.co.uk

ISBN 978-1-78562-007-2
ePub 978-1-78562-008-9
Kindle 978-1-78562-009-6

Cyhoeddir gyda chymorth ariannol
Cyngor Llyfrau Cymru.

Argraffwyd a rhwymwyd yng Nghymru gan
Wasg Gomer, Llandysul, Ceredigion.

1

Y Wên Drallodus

I

SYLLODD HUW ar ei ddwylo o'i flaen, y migyrnau'n wyn wrth gydio'n dynn yn ei reiffl. Tasgodd geiriau Is-Lefftenant Morgan oddi ar walia'r ffos, ei lais yn glir uwchben twrw di-baid y gynnau mawr … *for goodness sake don't bunch lads* … Ond nid oedd Huw yn gwrando. Roedd o'n brysur yn ceisio gorfodi'i ddwylo i ymlacio. Sylwodd wedyn fod ei ddannedd wedi'u sodro at ei gilydd, a chyhyrau'i enau'n galed fel cerrig … *check your bayonets are firmly* … a brwydrodd yn erbyn yr awydd dirybudd ac afresymol i chwerthin yn uchel. Teimlodd ddafnau o chwys yn casglu fel chwain dan bowlen ddur yr helmed newydd ar ei ben. Efallai mai chwain oeddan nhw, meddyliodd, cyn i lifeiriant y chwys dros ei dalcen roi taw ar y camsyniad hwnnw. Caeodd ei lygaid a chymryd anadl ddofn trwy'i drwyn – y ffos yn drewi o gymysgedd ffiaidd a chyfarwydd erbyn hyn – oglau'r priddglai gludiog yn gymysg â'r chwys, chwd, carthion a drewdod unigryw llygod mawr wedi'u mathru'n farw i'r mwd trwythol dan y llwybr bordiau.

Safai platŵn Huw yn un o'r dwsin neu fwy o ffosydd diraen wrth gefn coedwig Caterpillar yn ardal Longueval, gogledd Ffrainc. Llenwid y ffosydd eraill o'i gwmpas gan weddill ei fataliwn, yr 11th South Wales Borderers. Dyna lle'r oedd bron i fil o filwyr yn disgwyl eu cyfle i ddilyn bataliwn y 16th Welsh drwy goedwig hir a main Caterpillar ac i fyny'r bryn gyferbyn. Yno roedd coedwig fawr a thywyll Mametz yn eu disgwyl.

'Be oedd enw'r afon 'na, Ifas?' gofynnodd Cledwyn Roberts o'i flaen, wrth edrych dros ei ysgwydd ar Huw. Edrychodd Huw yn ôl arno'n ddryslyd. 'Ti'n gwbod, honna wythnos dwytha. Lle oedd y nigars 'na'n llwytho.'

*

Glaniodd Huw Evans yn un o'r 16,000 o ddynion, byddin y 38th (Welsh) Division, ym mhorthladd Le Havre ychydig dros saith mis ynghynt cyn teithio ar drenau i fyny at yr ardal biledu anferth tu allan i dref fechan Saint-Omer. Martsiodd y fyddin wedyn i lawr drwy gefn gwlad Ffrainc ryw dri deg milltir at y rheng flaen Brydeinig, a thwrw'r gynnau mawr yn agosáu bob dydd. Roedd hi wedi glawio'n gyson fwy na heb ers iddynt adael Southampton ond roedd ysbryd y milwyr ar y cyfan yn ddigon hwyliog.

Chwe mis yn ddiweddarach roedd Huw a Cledwyn yn gorwedd ar lan afon, yn gorffwys wedi bore o fartsio gyda'u bataliwn. Erbyn hyn roedd tymer y dynion wedi'i gwyrdroi'n llwyr gan fisoedd y paratoi am eu brwydr gyntaf ar y ffrynt. Roedd hanner dwsin o filwyr ei fataliwn wedi'u lladd eisoes mewn damweiniau milwrol. Collodd ffrind i Huw, glöwr main o Ferthyr o'r enw Lewis Lewis, ei fraich pan ffrwydrodd bom llaw cyn iddo gael cyfle i'w ollwng; rai oriau yn ddiweddarach, collodd ei fywyd. Nid Evan oedd y cyntaf na'r olaf i farw felly. Roedd rhai wedi'u lladd gan reifflau'n tanio'n anfwriadol, a dallwyd un milwr pan ffrwydrodd ei reiffl newydd sbon danlli wrth iddo'i danio am y tro cyntaf.

Er nad oeddent wedi treulio'u chwech mis cyntaf ar flaen y gad roedd yr amgylchedd yn ddigon tebyg i fod yng nghanol y drin, a'r dynion yn dysgu sut i gloddio ffosydd, sut i gynnal ffosydd ac yn fwy hanfodol fyth sut i fyw yn y ffosydd. Sut i fyw gyda'r chwain a'r trogod, y llau a'r llygod mawr, anferth, fel cathod. Sut i fyw gyda'r oerfel a'r mwd. Sut i fyw gyda'r glaw di-baid yn dymchwel y waliau a'u hysbryd. Dim gwerth o gwsg, na chwsg o unrhyw werth.

Roedd yr ychydig hyfforddiant gafodd y milwyr

gwirfoddol yma nawr ar ben a daeth yr amser iddynt wynebu'r gelyn.

Cododd Cledwyn yn frysiog wrth weld rhai o'r hogiau'n tynnu'u lifrai milwrol oddi amdanynt a cherdded yn ofalus, eu breichiau ar led, i mewn i lif distaw'r afon lydan.

'Ti'n dod?' holodd Cledwyn wrth ddatod botymau'i diwnig.

Ysgydwodd Huw ei ben gan godi'i law i gysgodi'i lygaid rhag yr haul oedd uwchben ysgwydd Cledwyn. Roedd gwynt ysgafn mis Mehefin yn ddigon oer a'r milwyr mentrus yn y dŵr yn bloeddio'u protestiadau yn erbyn yr ias. Gorweddai Huw ar lethr ychydig i ffwrdd o'r lan a thro hir a llydan yr afon yn amlwg o'i flaen, y bataliwn ar wasgar mewn powlen fas a hir islaw'r ffordd. Roedd yr afon yn frith gan ddegau o ynysoedd bychain, isel, yn llawn gwyrddni dechrau'r haf, roddai batrwm iddi fel bol neidr.

Atgoffwyd Huw gan y cannoedd oedd wedi casglu wrth y dŵr o'r dydd Sul flynyddoedd ynghynt pan aeth hanner y pentref i lan y môr yn Ninas Dinlle. Trip ysgol Sul Capel Baladeulyn a Huw'n gweld y môr am y tro cyntaf. Ei groen gŵydd yn amlwg fel haint ar ei freichiau ifanc eiddil wrth iddo gicio trwy'r tonnau ysgafn yn agos i'r lan. Methodistiaid Calfinaidd y fro wedi'u casglu'n un teulu mawr ar y tywod aur. Cofiodd Huw sylwi ar y tywydd yn troi, cymylau duon yn casglu'n gyflym ar y gorwel di-ben-draw, a chofiai weld hogyn yn cael ei lusgo o'r môr. A chyn iddo weld yr hogyn hwnnw'n cael ei godi ar ysgwyddau'r chwarelwyr, ei groen yn arliwiau o lwyd tywyll yn gwneud i'w gorff ymddangos i Huw, fyth eto yn ei hunllefau, fel delw ddrwgargoelus wedi'i cherflunio o farmor carreg fedd. Daliodd lygaid ei dad am eiliad yn un o'r dynion yn cario'r hogyn o'r don. Meddyliai yn aml am yr olwg ar ei wyneb y diwrnod hwnnw. Fysa Huw wedi taeru, pan oedd yn blentyn, fod ei dad yn gwenu'n hapus wrth lusgo coes y llanc marw ar ei ysgwydd cyn sylwi ar ei fab yn syllu arno, y wên yn diflannu'n sydyn wedyn a'i dalcen yn crychu ac yn crynu'n ddifrifol. Erbyn hyn roedd yn deall mai gwên anwir a thrallodus oedd wedi heintio wyneb ei dad. Ond dyna'r ddelwedd o'i dad a arhosodd hiraf yn ei gof.

Lladdwyd ei dad ychydig fisoedd yn ddiweddarach mewn damwain ar y graig yn Norothea. Ei fam wedyn yn gwneud yr un twrw udo galarus, wrth i gorff ei dad ddod i'r tŷ, ag a glywodd gan fam y llanc ar y traeth ar ddechrau'r haf. Ei dad oedd yr ail gorff marw i Huw ei weld, nid oedd yn ei adnabod fel ei dad chwaith er nad oedd staen na chraith yn anffurfio'r corff. Gallai weld nad oedd ei dad yno mwyach, ei wyneb calch wedi ymlacio cymaint hyd nes ei fod yn gwbl ddifynegiant. Yn absennol. Ei lygaid agored niwlog yn wag fel hen nyth gwennol. Ceisiodd Huw gofio wyneb ei dad eto wrth eistedd wrth yr afon ym Mhicardi ond yr unig ddelwedd a ddaeth oedd y wên drallodus wrth lan y môr.

Ymhen ychydig daeth confoi hir o lorïau i'r golwg ar hyd yr un ffordd fawr a gerddwyd ynghynt gan y bataliwn. Daeth y lori gyntaf i stop a diffodd ei hinjan cyn i'r gweddill ei hefelychu. Dringodd y gyrwyr allan o'u cerbydau a phob un yn tanio sigarét. Roeddynt yn gwisgo lifrai glas golau'r fyddin Ffrengig. Gwelodd Huw Lefftenant Savat yn cael gair yng nghlust Sarjant Ellis a hwnnw'n naddu'i ffordd trwy'r dynion i fyny llethr graddol y bryn tuag at y lori gyntaf. Clywodd chwerthiniad cyfarwydd Cledwyn a throdd Huw i'w weld yn suddo'i ben o dan ddŵr yr afon.

'Ha-le-liwia!' bloeddiodd Cledwyn wrth neidio ar ei draed yn y llif bas. Roedd chwarter y bataliwn yn y dŵr erbyn hyn.

Trodd Huw i edrych dros ei ysgwydd i gyfeiriad twrw gweryru; daeth gwedd o geffylau i'r amlwg yn y pellter ar y ffordd gan dynnu wagen bren filwrol o liw gwyrdd tywyll. Hyd yn oed o bell, gallai Huw weld mai dau ddyn croen tywyll oedd yn eistedd yn y cerbyd. Dilynodd wageni eraill ar hyd y lôn wastad drwy'r coed tenau. Carlamodd dyn croen tywyll ar gefn ceffyl du, hardd a chyhyrog, heibio'r wagen gyntaf gan godi'i law dde ar y gyrrwr. Stopiodd y wagen a marchogodd y dyn ymlaen tuag at y lori gyntaf.

Eisteddai Huw ar gyrion y bataliwn a sylwodd ar y pennau'n troi, un wrth un, wrth i'r marchog agosáu yn ei iwnifform daclus, tyrban trwsiadus lliw hufen yn chwyddo maint ei ben. Dechreuodd ton o dawelwch symud o ymyl y dorf hyd lan yr afon gan gynyddu sŵn y milwyr yn tasgu'n hwyliog yn y dŵr. Safodd ambell filwr ar ei draed.

'What's the Blackie doing?' bloeddiodd llais di-enw o'r dorf, y mwyafrif yn eistedd.

'Look! A Sambo on a horse!' udodd rhywun arall, â'i fraich allan ar flaen yr haid yn pwyntio tuag at y marchog.

'Sambo's got 'n injured head,' chwarddodd y nesa a dyma'r gweddill yn dilyn ei esiampl gan ffrwydro'n dyrfa swnllyd.

'Enough of that! On your feet men. Get off your lazy arses,' cyfarthodd Sarjant Ellis gan gerdded i lawr oddi ar y ffordd. 'That darky is an officer in the British army so unless you want to be court-martialled and shot you will shut your bleedin' faces,' meddai wedyn yn cicio penolau ambell filwr a chodi rhai eraill gerfydd cefn eu coleri wrth gerdded trwy'r dorf.

'Y 29th Lancers o'r 8th Cavalry Brigade ydi rhain,'

meddai llais y tu cefn i Huw gan ei ddychryn digon i droi i ffwrdd o lygadu'r olygfa ryfeddol. Edrychodd i fyny ar silwét Is-Lefftenant Morgan a'r haul yn pelydru tu ôl i'w gefn yn ddisgleirwyn.

'Syr,' ebychodd Huw gan frysio i sefyll.

'Mae gynna i ewyrth sydd yn ricriwtio allan yn y Pwnjab. Y 29th ydi'r marchogion gorau yn y fyddin medda fo. Ni'n cael *ordnance* gan y Ffrancod, yn ôl pob golwg.' Edrychodd Huw ar y swyddog, ei law chwith yn salwtio ac yn cysgodi'r heulwen o'i lygaid ar yr un pryd. Ciciodd Is-Lefftenant Morgan y pridd gyda blaen ei esgid a chwifio'i law tuag at Huw, cystal â dweud wrtho am ostwng ei law. 'Licech chi ddim mynd i'r dŵr, Evans?'

'Tydi hi ddim yn dywydd, syr. Dim i fi beth bynnag, dwi'n teimlo'r oerfel,' meddai Huw, yn rhwbio'r pridd tamp oddi ar ben ôl ei drowsus trwchus. Dim ond rhyw ddwsin o ddynion yr 11th South Wales Borderers oedd yn ogleddwyr a dyma'r eildro i'r swyddog gychwyn sgwrs gyda Huw. Edrychodd dros ei ysgwydd a gweld y milwyr yn brysio allan o'r afon, y gweddill yn rhoi trefn ar eu lifreiau.

'Un o le y'ch chi Evans? Yn gwmws?'

'Nantlla, syr. Dyffryn Nantlla,' atebodd Huw, yn cau botymau ucha'i diwnig.

'Ardal Lloyd George, yn yr enwog Carnarvon Boroughs,' datganodd yr is-lefftenant.

'Ia, syr.' Roedd Huw wedi clywed Lloyd George yn annerch cyfarfod cyhoeddus yng Nghaernarfon unwaith, pan oedd yn blentyn. Roedd o'n cofio sefyll ar focs pren yng nghefn pafiliwn llawn dop yn pwyso ar sgwydda'i dad, a'r cawr o ddyn bach yn gwefreiddio'r dorf gyda'i rethreg danbaid angerddol.

'Roedd 'y nhad yn ffrindie mawr 'da Tom Ellis druan, heddwch i'w lwch.'

'Ia wir, syr,' meddai Huw i lenwi'r bwlch tawel er nad oedd syniad gynno fo pwy oedd y Tom Ellis 'ma. Cododd ei reiffl, ac un Cledwyn, oddi ar y llawr. 'Well i fi ...' meddai wedyn yn pwyntio gyda'i reiffl, i lawr y bryn, tuag at weddill y bataliwn.

'Wrth gwrs. Fydd hi'n *form fours* gan y sarjant mewn munud ... Cyn i chi fynd ...'

'Syr?'

Edrychodd Is-Lefftenant Morgan ar Huw am eiliadau anghyfforddus o hir, ei lygaid a'i wyneb yn llonydd ac yn ddwys. Chwalwyd y foment pan symudodd llygaid y swyddog dros ysgwydd Huw, rhychodd ei dalcen cyn dechrau cerdded heibio Huw i gyfeiriad y ffordd fawr heb ddweud gair ymhellach.

'Be oedd *o* isho?' gofynnodd llais o'r tu cefn iddo.

Trodd Huw a gweld Cledwyn yn ei drowsus, ei fresys llydan yn hongian yn llipa wrth ei gluniau a'i gorff noeth yn diferu. 'Dwi'm yn gwbod. Dim byd am wn i.'

'Dim 'di dim, 'de,' meddai Cledwyn, yn sleifio'i grys dros ei ben yn frysiog a lleisiau'r sarjantiaid yn bloeddio'u *form fours* i ddiasbedain o amgylch amffitheatr naturiol y llecyn. Cododd Huw diwnig Cledwyn oddi ar y llawr a'i dal yn agored wrth gefn y gwirfoddolwr gwlyb. Cododd hwnnw'i fresys yn dynn am ei sgwyddau cyn gwthio'i ddwylo i fewn i lewys y diwnig. 'Diolch, gyfaill.'

Chins in, heads up gentlemen. Form fours you lazy lot. Clean that mess up. Get your Brodie helmets on your coconuts boys. Tin hats! Tin hats!

Mewn munudau roedd y bataliwn yn un neidr hir yn dynwared siâp yr afon islaw. Safai Huw a Cledwyn rywle yn y canol. 'Dwi'n rhynnu,' meddai Cledwyn.

'Ti'n synnu?' meddai Huw. 'Dwi 'di oeri'n edrych arnach chi.'

'Ianto'n deud bod hi'n werth chweil mynd am drochiad rwan. Chawn ni ddim cyfla eto, medda fo.'

'Mae o'n deud y gwir. Hon 'di'r afon ola cyn y ffrynt. O unrhyw faint, beth bynnag.'

Knees up, chests out men. Dechreuodd y neidr ymlwybro i fyny'r llethr am y ffordd fawr. *Chins in, heads up. Left, right. Left, right.*

'Be 'di'i henw hi, Ifas?'

'Be?'

'Yr afon, be 'di'i henw hi? Ti'n gwbod?

16

II

'Afon Somme,' meddai Huw.

'Somme,' meddai Cledwyn yn araf. 'Enwau rhyfadd ar betha gin y Ffrenshis 'ma.'

Roedd y tanio'n dwysáu a'r taflegrau'n glanio'n drwch mewn blanced o sŵn tu hwnt i'r goedwig denau, y llawr yn crynu'n ddiatal dan draed y milwyr. 'Mam bach,' sibrydodd Huw dan ei wynt.

'Be?' bloeddiodd Cledwyn wedi troi a phwyso yn erbyn rhagfur pren y ffos.

'Dim. Edrych yn dy flaen, ma Sarjant Ellis o gwmpas.'

'Ti'n gwbod be, Ifas?' meddai Cledwyn. Cododd Huw ei ben i edrych i lygaid dagreuol ei ffrind. Cafodd ei hun yn casáu Cledwyn ychydig bach am ei hunanfaldod. 'Dwi'n meddwl mod i 'di glychu'n hun.'

Pwniodd Huw ei fraich gyda baril ei reiffl. 'Gwatsia dy hun, ma Ellis yn dod.' Roliodd Cledwyn oddi ar y wal i sefyll yn ôl yn y lein dim ond mewn pryd, a hynny wrth i Sarjant Ellis wasgu'i ffordd heibio'r milwyr ar frys garw. 'Agor dy ffroenau, Cledwyn. Nid chdi 'di'r unig un, dwi'n gaddo hynna i chdi.' Roedd ysgwyddau Cledwyn yn crynu'n ysgafn o'i flaen. Edrychodd Huw i lawr y llinell a sylwi bod sawl dyn arall yn crynu hefyd, ambell un fel pe bai'n cael ffit. Disgynnodd helmed oddi ar ben un o'r creaduriaid crynedig a gwelodd Huw mai Brian Williams oedd ei pherchen. Cawr o löwr a dyn bonheddig, addfwyn. Gollyngodd Brian ei reiffl wrth geisio adfer ei helmed cyn iddi gyrraedd y llawr ond methodd ag arbed y naill na'r llall rhag glanio ar y ddaear fudur. Byrlymodd Sarjant Ellis yn ôl heibio i ysgwydd Huw gan ei wthio yn erbyn y rhagfur.

'Out of the way. Keep the line!' meddai'r sarjant, yn gwthio mwy o ddynion yn erbyn y wal ac yn anelu tuag at Brian Williams. Cydiodd yn nhiwnig y milwr anferth wrth i hwnnw geisio plygu i estyn ei reiffl. 'Get up, man! Stand up straight.'

Safodd y cawr yn dalsyth o weld y sarjant wrth ei ochr. Plygodd Sarjant Ellis a chodi'r helmed bowlen a'r reiffl allan o'r mwd bas ar y bordiau pren. Waldiodd yr helmed yn rymus ar gorun Brian Williams a gwthiodd y reiffl yn ôl i'w ddwylo mawr. 'Drop that weapon again and I'll have you shot for a coward.' Bloeddiodd Ellis yn ddigon uchel i Huw allu ei glywed yn glir uwch twrw'r gynnau mawr. Yna trodd y sarjant a chraffu un wrth un ar y milwyr yn y llinell gan ddod i stop wrth syllu'n fellt a tharanau, i wyneb Huw. Wedi ychydig eiliadau cododd ei law yn sydyn a thaflu dwrn cyflym i wyneb Brian. Hedfanodd ei helmed oddi ar ei ben unwaith eto ond llwyddodd y cawr i'w dal gyda'i ysgwydd yn erbyn wal y ffos. 'You've got to keep your wits about you,' meddai Ellis heb edrych ar Brian Williams, a boch hwnnw'n dechrau chwyddo'n goch. Cododd Brian ei helmed a'i gosod ar ei ben wrth i'r sarjant gerdded i ffwrdd i lawr y ffos fel pe bai dim wedi digwydd.

'Tydi'r dyn yna ddim yn llawn llathan,' meddai Cledwyn yn uchel dros dwrw'r ordnans wedi iddo ddiflannu o'u golwg. Chwarddodd un neu ddau o'r hogiau, ond ni wnaeth Huw.

'Ma'r dyn yn iawn. Cau hi Cledwyn,' meddai wrth daro'i fidog i dincian yn ysgafn yn erbyn ymyl cefn helmed Cledwyn.

*

Roedd Huw yn adnabod Cledwyn erioed, gan i'r ddau ddod i'r byd yn yr un pentref bach yn yr un flwyddyn, 1898. Nantlle, pentref o chwarelwyr a ffermwyr yn gorwedd yn llwnc gwddf dyffryn o'r un enw yng ngogledd-orllewin Cymru. Pentref gydag un llinell o dai bob ochr i ffordd a godai fel pe bai am ddianc o'r dyffryn drwy Ddrws-y-coed, rhwng y Mynyddfawr a mynydd Talymignedd, cyn cyrraedd pentref Rhyd-ddu wrth droed yr Wyddfa. Roedd llyn llawn brithyll yn wynebu'r pentref a phanorama crib Nantlle yn codi'n ddramatig tu hwnt iddo. Wrth gefn y pentref codai tomennydd sbwriel y chwarel lechi enfawr lle gweithiai nifer sylweddol o'r pentrefwyr.

Yno, yn 1910, lladdwyd tad Huw wrth ddisgyn oddi ar y graig tra'r oedd yn tyllu twll ffrwydro. Nid oedd wedi disgyn yn bell ond glaniodd yn lletchwith a thorrodd ei wddf. Bu farw yn y fan a'r lle. Llwch y llechi laddodd dad Cledwyn flwyddyn yn ddiweddarach, er nad oedd ei deulu yn ymwybodol o hynny ar y pryd. Cwyno hefo'i frest oedd Hefin Roberts, ac erbyn y diwedd hirwyntog ac anochel, y poeri gwaed broncitis ac yna rhuglo niwmonia, yn ôl meddyg y chwarel, oedd wedi gwneud am y chwarelwr.

Nid oedd Huw a Cledwyn yn ffrindiau da, ond mi roedd eu mamau ac felly magwyd y ddau ynghyd â'u brodyr a'u chwiorydd niferus ar y ddwy aelwyd weddw. Roedd gan Huw frawd hŷn a adawodd Nantlle yn ddyn ifanc pan oedd Huw yn ddeuddeg oed, wedi marwolaeth eu tad. Priododd Arwyn Evans â merch gweinidog o Gastellnewydd Emlyn a symudodd i fyw i'w hardal hi yn ne-orllewin y wlad. Cafodd swydd fel gwehydd yn ffatri wlân Trebedw mewn llecyn prydferth, gwyrdd ger pentref Henllan, bum milltir tu allan i Gastellnewy'. Pan oedd Huw yn bymtheg ac ar gychwyn yn llawn amser yn y chwarel, lle roedd Richard ei frawd arall eisoes yn gweithio, cafodd wahoddiad i lawr i'r de gan Arwyn. Cymerodd ddiwrnod iddo gerdded i Borthmadog a chymeryd y Great Western i lawr yr arfordir am Aberystwyth lle treuliodd y noson yn cysgu mewn coedwig fechan ar gyrion y dre brysur. Yna daliodd drên arall i lawr i berfedd gwledig y wlad gan gyrraedd gorsaf Pencader. Ymlaen, wedi disgwyl rhai oriau, ar gymal ola'i siwrnai ar drên y lein leol i Gastellnewydd Emlyn. Yno, ymhen hir a hwyr, cafodd aduniad gyda'i frawd hanner-dieithr a'i wraig hollol ddieithr. Nid oedd Huw yn deall gair a hedfanai, fel trydar robin goch, allan o wep orgyfeillgar ei wraig, Elin. Roedd hi wedi'i gofleidio fel rhyw fab afradlon ac wedi gwrthod gollwng ei ddwylo am rai eiliadau anghyfforddus hyd nes i Arwyn roi braich o amgylch ei ben, dwyn ei het oddi arno a rhwbio'i wallt yn flêr gyda'i het big ei hun. Hen het chwarel eu tad.

Dyma gyfnod hapusaf ei fywyd. Cafodd waith gyda'i frawd yn y ffatri a gwely yn ystafell fyw eu bwthyn bychan i lawr y lôn o Drebedw. Âi i gysgu bob nos, wedi'i flino'n llwyr gan waith a sŵn y ffatri wlân, yn gwrando ar ddŵr afon Teifi'n byrlymu'n hudolus islaw heibio'r bwthyn ar ei ffordd allan i'r bae yn Aberteifi. Roedd coed ym mhobman a'u gwyrddni, yr haf hir hwnnw, yn egnïo'i gorff fel cyffur. Roedd Huw yn meddwi ar brydferthwch yr ardal, disgynnodd mewn cariad â'i rhyfeddodau naturiol a chyfeillgarwch didaro, syml a bucheddol ei thrigolion. Ar y Sul roedd y tri ohonynt yn mynd i gapel Bethel yn y dre i wrando ar y Parchedig Gwynfor Phillips, tad Elin, yn pregethu'r efengyl.

Yno cafodd Huw ei hun yn denu llygaid y merched lleol, ac yntau erbyn hyn yn hogyn hardd a chadarn. Roedd hefyd, wrth gwrs, yn atyniadol oherwydd ei ddieithrwch. Yn ddi-os bob tro roedd o'n agor ei geg i ddweud unrhyw beth, byddai'r merched yn taro'u dwylo dros eu cegau, a'u llygaid yn gwenu'n sionc. Y rhyfeddod mwyaf iddo oedd pa mor gyflym y câi orwedd gyda'r cariadon parod hyn. A synnai mor hawdd oedd hi i ffarwelio ag un ar ôl y llall, gan symud ymlaen at y nesaf a ddenai'i lygad. Er nad oedd yn bell heibio'i ben-blwydd yn un ar bymtheg roedd yn gwybod am bwysigrwydd tynnu allan o'u cynhesrwydd moethus cyn y ffrwydriad angerddol, terfynol. Roedd Ann Hughes, merch y pobydd, wedi'i roi ar ben ffordd wrth synhwyro bod ei hyrddiau'n cyrraedd cresendo gan guro'i gefn gyda'i llaw a gweiddi *Mas nawr! Mas!* wrth orwedd am y tro cyntaf yn y glaswellt hir ger nant Sarah.

Ymhen ychydig daeth yn amlwg i Huw fod pris i'w dalu am y fath lwyddiannau serchus wedi'r cyfan. Nid cenfigen y cariadon a'i gyrrodd o'r ardal ond yn hytrach cenfigen a dicter chwyrn y dynion, yr hogia lleol, y brodyr ac yn bennaf oll y Parchedig

Gwynfor Phillips. Nid oedd Huw wedi malio rhyw lawer pan gafodd stid ar ôl cael ei ddal ar y lôn gul o'r ffatri i fyny am Benrhiw-llan. Llwyddodd y ddau fab fferm, Edwin a Llewelyn Griffiths, i'w lorio'n ddigon hawdd. Nid oeddent wedi'i guro tra oedd yn llorweddol ond wedi'i annog i ailddarganfod ei draed er mwyn derbyn 'chwaneg o'u dyrnau caled. Tramgwydd terfynol Huw oedd gorwedd gyda Miriam, eu chwaer. Daliwyd y ddau gan chwaer fach Miriam yn sleifio allan o neuadd y farchnad y penwythnos cynt. Buddug fach yn eu dilyn heibio adfail y castell ac yn eu gweld yn diflannu rhwng y llwyni mwyar ger afon Teifi. Derbyniodd ddigon o gweir i foddhau'r brodyr, ond roedd gwaeth i ddod.

Yn anffodus i Huw roedd Mr Davies, perchennog y ffatri, yn gyfaill mawr i Mr Griffiths y ffermwr, tad Miriam. Collodd Huw ei waith a bu'n rhaid i Arwyn ymbil arno er mwyn cadw'i swydd ei hun. Roedd Mr Davies hefyd yn gefnder i'r Parchedig Phillips, tad yng nghyfraith Arwyn, a dyma fo'n rhoi'r hoelen olaf yn arch Huw gyda'i bregeth y Sul canlynol.

'Genesis, pennod pedwar,' cychwynnodd y Parchedig Phillips yn dawel gan edrych i lawr ar ei Feibl wrth y pulpud. ' "Ac Adda a adnabu Efa ei wraig: a hi a feichiogodd ac a esgorodd ar Cain; ac a ddywedodd, Cefais ŵr gan yr Arglwydd ..." ' Roedd llais y pregethwr yn canu'r geiriau a'u sŵn yn tasgu o amgylch theatr orlawn yr eglwys. ' "… A hi a esgorodd eilwaith ar ei frawd ef Abel; ac Abel oedd fugail defaid, ond Cain oedd yn llafurio'r ddaear …" ' Cododd ei lais fel daeargryn yn agosáu o bell wrth adrodd yr hanes hynafol o'i lyfr du. Cododd y pregethwr ei ben hefyd a chraffu ar y gynulleidfa fel pe bai'n heliwr yn chwilio am forfil ar y moroedd meithion. Syrthiodd ei lygaid ar Huw a llonyddu, pregethodd y geiriau tywyll a sanctaidd o'i gof: ' "… ac fel yr oeddynt hwy yn y maes, Cain a gododd yn erbyn Abel ei frawd, ac a'i lladdodd ef." '

Gyda'r geiriau hyn yn llosgi'i glustiau cododd Huw o'i sedd yng nghanol y capel a rhuthro am y drysau cefn a geiriau'r pregethwr yn taro ar ei gefn fel cerrig.

'Weithiau fe welwn ni'r Diafol yn byw yn ein mysg, gyfeillion, yn ein mysg …' Caeodd Huw Evans ddrws y capel ar ei ôl a dyna'r tro olaf iddo weld unrhyw un o drigolion cymuned Castellnewydd Emlyn, gan gynnwys ei frawd.

III

Daeth y bomio i ben yn raddol fel diwedd cawod haf, y cryndod dan draed yn y ffos yn fwy amlwg oherwydd ei ysbeidioldeb.

'Dyma ni,' meddai Huw dan ei wynt.

'Be sy'n digwydd?' meddai Cledwyn, yn sbecian yn nerfus dros ei ysgwydd.

'Ma nhw'n mynd i yrru'r Sixteenth ymlaen. Ni'n mynd i'r Caterpillar, siŵr o fod, cyn bo h- ...' cychwynnodd Samuel Jones o flaen Cledwyn cyn stopio'n sydyn a sythu'i gorff a'i reiffl.

'Get ready men,' meddai Sarjant Ellis, yn brasgamu heibio'r dynion.

'Duw a'n helpo, Duw a'n helpo, Duw a'n helpo,' sibrydodd Cledwyn, ei helmed yn dawnsio ar ei ben o flaen Huw.

Daeth twrw nodau uchel chwibanau'r swyddogion o bell i darfu eto ar y tawelwch cymharol. Yna bloeddio milwyr y bataliwn o'u blaenau wrth iddynt symud ymlaen allan o loches Caterpillar Wood. Dechreuodd sŵn stacato'r gynnau peiriant godi i'r awyr o sawl cyfeiriad yn un fflyd gan foddi sŵn lleisiau'r milwyr. Ffrwydriadau ac yna twrw sgrechian dynion mewn poen.

'Men! Move forward,' meddai Is-Lefftenant Morgan wrth wasgu heibio'r milwyr o gefn y ffos.

'Look lively, and keep moving.' Cerddodd heibio i Huw a chuddiodd Huw ei wyneb oddi wrth y swyddog. 'Move forward, move forward.'

Symudodd y golofn ymlaen mewn camau bychain gan nadreddu drwy'r ffos tuag at y frwydr.

'Duw a'n helpo, Duw a'n helpo ...' mantra Cledwyn yn codi'n uwch ac yn procio nerfau Huw. Trodd ei reiffl yn ei ddwylo a tharodd lafn ei fidog ar gefn helmed ddur y milwr ofnus. Disgynnodd ysgwyddau Cledwyn yn rhuslyd, fel pe bai'n meddwl bod bom wedi glanio ar ei ben. Stopiodd am eiliad ac roedd Huw yn gallu dychmygu'i wyneb o'i flaen wedi'i rewi gan ofn, ei lygaid wedi'u gwasgu ynghau. Gwthiodd Huw ei reiffl i'w gefn i'w yrru yn ei flaen. Daeth taw ar ei weddïo.

'Time to show the Hun who's boss, men,' gwaeddodd Is-Lefftenant Morgan o'r tu cefn i Huw gan roi ei law ar ysgwyddau'r dynion bob un wrth frasgamu i fyny'r lein. Cyrhaeddodd Huw a Cledwyn gan stopio am eiliad. 'Chi'n barod am y frwydr, fechgyn?'

Nodiodd Cledwyn gan wenu'n wan, ei lygaid yn clipian yn wyllt. 'Ydan, syr,' atebodd Huw yn bendant a sythu ei gefn.

'Da iawn, da iawn,' meddai'r is-lefftenant, ei wên lydan yn codi ymylon ei fwstásh. Cododd ei law feddal i guro'n gadarn ar ysgwydd Cledwyn wrth gerdded yn ei flaen. Neidiodd Cledwyn fel pe bai wedi'i saethu.

'Pwyll pia hi, Cledwyn. Fyddi di'n iawn, 'sti,' meddai Huw a rhoi pwniad arall i gefn Cledwyn.

*

Wedi'r llanast yng Nghastellnewydd Emlyn, crwydrodd Huw yn ôl am adref. Yn araf. Arhosodd am noson yn Llanbed, yna noson arall yn Aberystwyth lle'r ysgrifennodd lythyr at ei frawd Arwyn yn ymddiheuro am yr holl helbul ac un arall at ei fam yn esbonio'r sefyllfa – heb fanylu'n ormodol, wrth gwrs.

Nid oedd ganddo syniad beth i'w wneud â fo'i hun nesaf. Roedd ganddo ddigon o arian i'w gael yn ôl i'r gogledd ond dim digon i'w gadw'n ddi-waith am unrhyw gyfnod o amser. Chwaraeai yn obsesiynol gyda'r ddau bishyn deuswllt ym mhoced dde ei drowsus, a'r darn hanner coron yn ei boced chwith. Penderfynodd nad oedd am fynd yn ôl i Nantlle, a dechreuodd holi am waith o gwmpas y dref yn Aber. Heb eirda, ac yntau yn adnabod neb, roedd yr ymdrech yn ddiffrwyth. Cymerodd y trên i fyny i'r Bermo a mynd o gwmpas y dref fach brysur yn gwenu'n gyfeillgar ar ei thrigolion wrth ofyn am waith, ei gap yn ei ddwy law. Unwaith eto, bu'r ymchwil yn ofer. Wedi noson yn cysgu dan y bont hir wrth geg afon Mawddach penderfynodd gymeryd trên i Borthmadog a holi yn y porthladd yno.

Wrth deithio yng nghaban agored y trydydd dosbarth ymhell yng nghefn y locomotif dywedodd y dyn ifanc gyferbyn â Huw, 'Golwg boenus arnach chdi, 'fath â bod dy ieir di 'di stopio dodwy.' Gwenodd y dyn ar Huw ac estyn ei law tuag ato. Gwenodd Huw wên lipa yn ôl ato a chydiodd yn y llaw gyfeillgar. 'Ephraim Pritchard.'

'Huw, Huw Evans,' meddai, gan ysgwyd ei ben yn gadarnhaol. Dyma'r cyntaf i gychwyn sgwrs gydag ef ers iddo adael Henllan, ar wahân i ddynes mewn bwyty yn y Bermo.

'Mynd adra wyt ti?' gofynnodd Ephraim.

'Mae'n ddrwg gynna i?' Edrychodd Huw yn ddryslyd ar y dieithryn.

'Acen, osgo, dillad. Hogyn chwarel dybiwn i. Chwarel Gorsedda'n y 'Stradllyn neu Ddyffryn Nantlla falla?'

Symudodd Huw'n anniddig yn ei gadair bren. 'Dach chi'n gallu deud hynna oll dim ond wrth f'enw i?'

'Roeddwn i 'di dy glywed yn holi'r dyn tocynnau pa bryd oedd y trên yn debygol o gyrraedd Port. Digon o eiriau i dy leoli i'r gogledd o Port ond ochr yma i Gaernarfon. Dwi'n nabod yr hoel llwch 'na ar ymyl dy wasgod di fel yr hen lwch llechi. Anodd gwaredu'r llwch yn llwyr, yn tydi? Dwi'n hogyn jac-do fy hun yn Chwarel Braich Goch. Wel mi oeddwn i bore 'ma, beth bynnag. Gobeithio am rwbath gwell, cyn i'r haul fachludo heno. Croesi 'mysedd,' meddai'r llanc Ephraim yn gyfeillgar gan groesi'r bysedd cyntaf ar ei ddwy law a'u dangos i Huw.

'O ...?' dechreuodd Huw, yn codi'i aeliau. 'Rwbath ar y gweill yn Port?'

'Oeddwn i'n iawn? Hogyn y tomenni wyt ti, Huw Ifans?'

'Nantlla, ia. Wel, dwi newydd dreulio hanner blwyddyn mewn ffatri wlân yn y Sowth.'

'Y Sowth? Tu hwnt hefo'r hwntws, felly,' meddai Ephraim.

'Gadal dan gwmwl a dim llawer o awydd mynd adra a dweud y gwir wrthoch chi Mister Pritchard.'

'Ephraim, Huw. Galw fi'n Ephraim.' Cododd y llanc o'i sedd a tharo braich ei gyd-deithiwr yn gyfeillgar. 'Digon o amser i drafod y gorffennol rywdro eto. Lle fyddwn ni'n rhoi'n pennau i orwedd heno, dyna 'di'r cwestiwn, ia ddim?'

Nodiodd Huw ar ei gyfaill newydd.

'Ti wedi clywed am Chwarel Croesor, Huw? Dim y Rhosydd cofia, ond Croesor. Ma 'na berchennog yna sy'n gweithio'r graig gyda dulliau modern, dyna 'di'r sôn. Ti'n gwbod amdano fo?'

'Nid y dyn gwallgo 'na ti'n feddwl, John Keller?' atebodd Huw, ei lygaid led y pen ar agor.

'Joseph Kellow. A tydi o ddim yn wallgofyn, Huw. Mae o'n ddyn o'r dyfodol, dyn y newydd. Wel, fysa hi 'im yn well i ni fynd i gael golwg? Os ydi'r byd modern wedi'n cyrraedd fysa hi 'im ond yn gwrtais i ddau ddyn uchelgeisiol fel ni fynd i'w gyfarch o?'

Nodiodd Huw eto wedi'i gyffroi am y tro cyntaf ers amser maith, a llyfodd ei weflau.

*

Ychydig llai na phythefnos yn ddiweddarach roedd Ephraim a Huw unwaith eto ar y cledrau. Yn eistedd ar eu cotiau y tro hwn ar ben wagen yn llawn llechi wedi'u trin, y dramffordd wedi'i gwyro ar yr ongl berffaith i ddisgyrchiant fedru gyrru'r wageni'n dragwyddol ar eu ffordd o'r chwarel yng Nghroesor y chwe milltir i lawr i Borthmadog. Roedd hi'n fore Sadwrn braf ac oglau melys tybaco'r dynion ar y wageni pen-blaen yn crwydro heibio'u trwynau ar yr awel ysgafn. Prin roedd angen y ceffyl i'w hyrddio ar eu ffordd hamddenol nes iddynt gyrraedd afon Glaslyn a'r Traeth Mawr, yna roedd y ceffyl gwedd yn gorfod tynnu'r wageni weddill y ffordd.

Cafodd yr hogiau, hanner dwsin ohonynt, eu gollwng wrth bont yr harbwr a'r fforman Gruffydd

Griffiths ar y wagen flaen yn gwarchod eu llwyth ac yn mynd ag ef i'r cei llechi ym mhendraw'r porthladd.

'Wyth y bore, cofiwch hogia, neu fyddwch chi'n cerdded,' meddai Gruffydd mewn llais clir ond heb dynnu'i getyn allan o'i geg.

Ffliciodd yr hogia'u stympiau yn ddefodol dros wal y bont i afon Glaslyn islaw gan boeri ar eu holau. Codasant eu trywsusau gerfydd eu beltiau lledr i fyny'u cyrff cadarn, ymbaratoi a chychwyn am y Stryd Fawr. Edrychodd Ephraim a Huw ar ei gilydd a chwerthin yn hapus wrth wylio'u cyd-weithwyr yn sgwario a strytian tua'r dref.

Nid oedd cymaint â hynny o wahaniaeth rhwng y gwaith yn chwarel Croesor a gweddill chwareli'r ardal, fel oedd y ddau ffrind wedi darganfod. Oedd, roedd y clytiau'n ymddangos yn llawer cynt allan o'r twnnel mawr yn y mynydd, oherwydd y dulliau tyllu modern. Ond nid oedd hyn yn cael fawr o effaith ar waith y dynion oedd yn trin y crawiau yn y siediau. Câi enwau deg tîm o ddau eu tynnu allan o het ar gychwyn pob shifft er mwyn dethol eu llechfaen amrwd gan fod peth o'r llechfaen yn llawer gwell na'i gilydd. Yna deg awr i drin y garreg a'i thorri i ba faint bynnag a benderfynwyd gan y fforman.

Roedd tair sied yn y chwarel a dwy shifft bob dydd, felly ynghyd â'r dynion yn y twneli ac yn swyddfa'r chwarel, roedd bron i gant a hanner o bobl yno'n ennill eu bara menyn. Cafodd Huw gipolwg ar y dyn mawr, Joseph Kellow, echdoe yn cerdded yn bwrpasol tuag at y twnnel mawr gyda'i gynffonwyr yn dal papurau dan ei drwyn ac yn clebran dros ei gilydd. Roedd ei het bowler yn sgleinio fel plu brain yn yr haul ganol pnawn, roedd y dyn yn nawsio egni, uchelgais a charisma.

Pan gyrhaeddodd y ddau y chwarel yn gyntaf roedd Gruffydd Griffiths wedi'u siomi wrth ddatgan nad oedd unrhyw waith ar gael yng Nghroesor iddynt ac awgrymu y dylent ddringo i fyny'r dyffryn a thrio yn chwarel y Rhosydd, nad oedd ymhell. Gwelodd Huw yn y ffordd roedd Ephraim wedi diolch i'r fforman nad oedd ganddo'r bwriad lleiaf o fentro i fyny'r llwybr tuag at y chwarel drws nesaf.

Esboniodd Ephraim wrth iddynt gerdded ar hyd yr iard yn ôl am bentref Croesor, 'Diawl o le ydi'r Rhosydd, meddan nhw. Llawn gwehilion a salwch a budreddi. Bwyd a tâl sâl uffernol, meddan nhw...'

'Ond pa ddewis sydd gynnon ni?' erfyniodd Huw, yn ei chael hi'n anodd cadw i fyny â chamau bras a chyflym ei gyfaill.

'Well gynna i fynd adref na mentro i bwll y diafol yn y Rhosydd, Huw Ifans.'

'Pwylla am eil- ...' dechreuodd Huw cyn i lais wrth eu cefnau weiddi.

'Hogia! Arhoswch!' Gruffydd Griffiths yn brysio ac yn gweiddi ar eu holau. 'Dach chi fel dwy sgwarnog yn diflannu o 'ngolwg i!' Ac meddai wedyn wedi cael ei wynt ato. 'Dach chi 'di gweithio'r siediau, torri slabs 'rioed?'

Er bod Huw yn edrych yn hŷn na'i un ar bymtheg mlwydd oed ac Ephraim yn edrych yn fengach na'i ddeunaw blwyddyn ar y ddaear, roedd y ddau wedi ateb yn reddfol o gyflym gyda'r celwydd, 'Do.'

Ategodd Ephraim, 'Wrth gwrs hynny, syr. Dyna 'ngwaith bob dydd yng Nghorris.'

'Nid dyna oeddach chi'ch dau wedi'i ofyn i mi gynna,' meddai Gruffydd Griffiths, yn gafael yn ei farf goch a llwyd.

'Ffansi newid, allan yn yr awyr iach, hefo'r wageni,' atebodd Huw mewn fflach.

'Be 'di'r mwya dach chi 'di weithio?'

'Slab?' dechreuodd Ephraim gan afael yn ei ên. 'Www, mae'n dibynnu wrth gwrs ar safon y slab. Dwi'n clywed fod y graig yn llawer iawn mwy caled yma yng Nghwm Croesor, gwell deunydd crai, felly.'

'Ia?' meddai'r fforman yn araf, ei fysedd ynghudd yn nhyfiant ei farf.

'Be dach chi'n 'i dorri rhan fwya, *Duchesses* Mawr? 'Ta Bach? *Countesses* Mawr? Deg? Ladis Llydan? Ladis Dwbl Cul?'

'Ddudwn ni *Countesses* Deg?' meddai Gruffydd,

yn crychu'i dalcen. Roedd Huw yn ceisio peidio ag edrych yn syn ar Ephraim.

'Mi dorrwn ni slab dwy dunnell mewn pedair awr, dim problem syr.'

'Pedair awr?' cododd Gruffydd ei aeliau a gwenu trwy'i fwstásh moethus. Nodiodd y ddau yn hyderus. 'Ac ers faint dach chi'n bartneriaid, chi'ch dau?'

'Dwy flynedd,' meddai Ephraim.

'Blwyddyn,' meddai Huw, yr un pryd.

'Yn agos at flwyddyn a hanner,' meddai Ephraim cyn i galon Huw gael cyfle i fethu curiad.

'Felly?' meddai Gruffydd a dyma'r ddau yn nodio'n frwdfrydig. 'Gewn ni weld sut mae pethau'n mynd hefo'r fargen gynta, os ydi hynna'n siwtio chi'ch dau? Dach chi angen bwyd a llety chwarel, siŵr o fod.'

'Be 'di'r telerau Mr Griffiths?' holodd Ephraim.

'Gwell i chdi ofyn i'r stiward gosod pan dach chi'n trafod y fargen, ddywedwn i Mr Pritchard.'

'O'r gora, syr,' meddai Ephraim, yn cynnig ei law i'r fforman ac yn wên o glust i glust.

Esboniodd Ephraim wrth Huw fod ei daid wedi bod yn stiward gosod yn chwarel Corris am flynyddoedd a bod ei dad wedi hollti'r graig yno am sawl blwyddyn hefyd. Diflannodd yntau un diwrnod y llynedd i anelu am y pyllau glo yn y de oedd y ddamcaniaeth, ond pwy a wŷr, meddai Ephraim yn ysgafn. Beth bynnag, yn y cyfamser roedd Ephraim wedi dysgu digon i allu rhoi cynnig arni, felly pam lai?

'Oherwydd nad ydw i wedi cymint â thorri llechen i roi ar ben to heb sôn am hollti'r graig,' atebodd Huw yn ddig.

'Chdi ddwedodd, Huw Ifans; pwyll pia hi, gyfaill. Os wyt ti'n ddisgybl da ac yn gallu dysgu'n gyflym, fyddan ni'n dau yn iawn, gei di weld. Be arall allwn ni wneud, beth bynnag?'

'Gawn ni weld,' oedd geiriau du olaf Huw wrth i'r ddau gamu tua swyddfa'r stiward gosod.

Fel yr oedd Huw wedi dechrau deall, roedd Ephraim yn bartner gwerth ei ddilyn a'i sgiliau wrth drafod y llechfeini yn ei synnu yn ystod yr wythnos gyntaf yn y sied fawr. Roedd y gwaith yn dod yn naturiol iddo ac roedd Huw yn hapus i wylio a gwrando a dysgu oddi wrth ei ffrind. Roedd y dynion eraill hefyd yn ddigon parod i'w helpu os oedd unrhyw gwestiynau'n codi. Erbyn diwedd eu hwythnos brawf roedd Gruffydd Griffiths yn fwy na bodlon gyda'r ddau chwarelwr ifanc.

Nid oedd fawr o gyfforddusrwydd yn perthyn i'r hundy llydan ac roedd y dŵr ymolchi mor oer â dŵr yr afon. Ond roedd yn rhad ac roedd y bwyd yn gynnes ac yn faethlon, er ychydig yn undonog a diflas. Cawl cig mollt a thatws bob nos. Erbyn gweld eu cyflogau, ffrwyth eu llafur caled, roedd y ddau lanc wedi gwirioni. Swllt y dydd, tri phishyn deuswllt am wythnos o waith. Wedi tynnu deuswllt am y llety a'r bwyd, roedd Huw ac Ephraim yn teimlo'n eithaf cyfoethog am y tro cyntaf yn eu bywydau. Cyflog pythefnos yn eu pocedi a'r ddau'n bwriadu gyrru'i hanner adref at eu mamau, roedd ganddynt bedwar swllt yr un i'w gwario, neu i'w cynilo, fel y mynnent.

Cerddodd y ddau i lawr Stryd Fawr Porthmadog yn dilyn camau'u cyd-weithwyr er nad fedrent eu gweld mwyach. Y bwriad oedd archebu ystafelloedd yn nhafarn yr Australia a chael golchiad iawn mewn bàth poeth cyn mentro o gwmpas y dre brysur, ond er iddynt guro ar ddrws caeedig y dafarn ni ddaeth neb i'w hateb.

'Hidia befo,' meddai Huw gan dynnu ar gefn gwasgod Ephraim cyn i'w ddwrn gael cyfle i guro'r drws am y trydydd tro. Trodd Ephraim a gweld Huw yn cymeryd ei het yn ei ddwylo ac yn holi dynes mewn dillad trwsiadus, plentyn ifanc yn gafael yn ei llaw, wrth iddynt gerdded heibio. 'Esgusodwch fi ...'

Stopiodd y ddynes ar ei ffordd drwy weddill y bwrlwm pobl ac edrych yn ddigroeso ar y ddau chwarelwr llychlyd. 'Wel!' meddai'n gwta, fel pe bai Huw wedi'i chyffwrdd yn gorfforol.

'Mae'n ddrwg gynna i, madam. Hoffwn eich holi

am air o gyngor os gwelwch chi'n dda,' meddai a gwasgu'i het big yn foesgar rhwng ei ddwy law.

'Tydw i ddim am sefyll yma'n trafod ar y stryd gyda rhyw chwarelwr difanars. Rhag eich cywilydd chi!' meddai hi mwyaf cyflym cyn troi ac ailymuno â'r traffig dynol gan blycio'r hogyn bach, oedd yn sefyll a syllu i fyny'n llywath arnynt, ar ei hôl.

Edrychodd Huw ar Ephraim a chwarddodd y ddau. Rhoddodd Huw ei het yn ôl am ei ben a cheisio eto, y tro hwn gyda hen ŵr yn ymlwybro'n araf gan bwyso'n drwm ar ffon bren sgleiniog. 'Esgusodwch fi, syr.' Edrychodd y dyn bach i fyny'n ddryslyd. 'Fyswn i'n cael munud o'ch amser os gwelwch yn dda?'

'Ia, washi?' meddai'n aros ac yn rhoi ei ddwy law ar gopa arian ei ffon. 'Be sy'n dy boeni di?'

'Dach chi ddim yn gwbod pryd mae'r dafarn 'ma'n agor na dach?' holodd Huw, ei het yn ôl yn ei ddwylo.

'Wel, gadwch i mi roi gair o gyngor i chi ddynion ifanc. Daeth y *Beeswing* a'r *Mary Lloyd* i'r porthladd ddoe, felly dyna'r Australia dan ei sang neithiwr fyswn i'n amau. Efallai na fydd y landlord yn dangos ei drwyn tan amser cinio, synnwn i fawr.'

'Be fysach chi'n awgrymu?' gofynnodd Ephraim, gan gamu i lawr y ddwy ris o'r drws.

'Mentrwch lawr y stryd yn fama,' pwyntiodd

yr hen ŵr i lawr y Stryd Fawr gyda'i goesyn pren. 'Heibio'r sgwâr mawr gan gadw i'r dde a cyn bo hir mi ddowch chi at Westy'r Heliwr. Gewch chi well gwlâu a gwell cwrw o beth wmbrath yn y Sportsman hogia, coeliwch chi fi. A chyn i chi ofyn, na, tydw i ddim yn perthyn i'r perchennog. Y 'fengyl i chi 'di hynna. Y Sportsman, hogia.' Dechreuodd gerdded ymlaen, ei ffon estynedig yn naddu'r ffordd o'i flaen. 'Y Sportsman.'

Cyn i'r ddau gael cyfle i ddiolch iddo roedd yr hen ddyn bonheddig wedi mynd ar ei hynt. Nodiodd y ddau ffrind ar ei gilydd a dweud yn unsain gan wenu fel giatiau: 'Y Sportsman!'

*

Gorweddai Huw mewn bàth mawr copr ym maddondy'r Sportsman ac Ephraim yn y bàth drws nesa iddo. Codai'r gwres ager o'r ddau dwb fel niwl y bore yn hanner gwyll yr ystafell laith. Disgleiriai'r teils gwyrdd tywyll yng ngolau'r lamp olew ar y bwrdd marmor yn erbyn y wal gyferbyn â'r hogiau. Ym mhen draw'r baddondy safai dyn bach tew a blewog gyda thywel gwyn o amgylch ei ganol yn eillio yng ngolau lamp arall wrth y sinciau ger y drws. Fel arall roedd yr ystafell yn wag.

'Stecen fawr ar yr asgwrn a mynydd o datws,'

meddai Ephraim, gan edrych ar yr awyr las drwy'r ffenest fawr yn y nenfwd.

'Swpar?' gofynnodd Huw.

'Nage,' meddai Ephraim, yn troi i edrych ar ei ffrind a gwên fawr ar ei wyneb. 'Cinio a swper. Unrhyw beth cofia, heblaw am hen gig dafad mewn pwll o ddŵr budur.'

Chwarddodd y ddau a dyma Huw yn gofyn, 'Lle dan ni'n mynd heddiw 'ta, Ephraim?'

'Wel, ni angen mynd i'r Siop Fawr am flancedi a phlatiau a ballu …'

'Dwi'n gwbod hynna, wedyn o'n i'n feddwl.'

'Wedyn dan ni'n mynd i gael y stecsan 'na, heb anghofio'r mynydd o datws …'

'*Wedyn*, wedyn,' meddai Huw, yn chwarae'r gêm.

'Efallai, awran neu ddwy yn gorwedd yn gwely'n llesmeirio hefo llond bol …'

'Ar ôl hynna … ty'laen!'

'Wedyn …' dechreuodd Ephraim, yn codi'i gefn oddi ar y bàth a throi i wynebu Huw a gwenu gwên lydan. 'Dan ni'n mynd i weld os ydi merchaid Porthmadog mor dinboeth am y Romeo Cymraeg o Ddyffryn Nantlla ag y mae'r washi hwnnw'n deud fod y merchaid yn y Sowth!'

'Haleliwia!' meddai Huw gan waldio dŵr y bàth yn swnllyd wedi cael beth roedd o am ei glywed o'r diwedd. Trodd y dyn bach tew a gwgu arno trwy'i ewyn. 'Hei, dwi'm yn gaddo dim byd cofia,' meddai Huw o ddifri.

'Gawn ni weld, Mr Evans,' meddai Ephraim, yn dringo allan o'r bàth a gafael mewn tywel mawr o reilen bres wrth ei ochr. 'Gawn ni weld.'

*

Erbyn i Huw ddringo'r grisiau troellog llydan i lawr ucha'r Siop Fawr roedd y ddau yn gwisgo'u dillad capel gorau, eu gwalltiau wedi'u slicio'n ôl gydag olew Macassar a'u sgidiau'n sgleinio fel eirch. Gadawodd Huw Ephraim ar y llawr isaf yn chwilio am sach i gario'i bethau gan bod yr un a ddaeth gydag ef o Gorris wedi disgyn yn ddarnau. Dywedodd y ferch wrtho bod y dillad gwely ar y llawr uchaf a dyma Huw yn dringo'r ddau lawr ddwy ris fawr ar y tro yn goddiweddyd y cwsmeriaid eraill ac yn ymddiheuro wrth fynd. Brysiai oherwydd ei fod yn awyddus i ddarfod yr hen fusnas siopa 'ma er mwyn cael mwynhau'r diwrnod yn y dref ei hun. Roedd hi'n haul braf tu allan ac roedd ganddo fwyd a merched ac efallai ei flas cyntaf ar gwrw ar ei feddwl.

Tarodd ei ysgwydd yn erbyn rhywun heb fod yn bell o ben y grisiau. 'Ma'n ddrwg gynna i,' meddai Huw yn syth heb feddwl.

'Gwatsia lle ti'n mynd, washi,' meddai'r dyn wrth roi ei law ar ysgwydd Huw yn amddiffynnol.

Edrychodd Huw ar wyneb salw'r dyn yn gwgu arno oddi fry, ei locsyn clustiau blewog yn fframio'i fochau coch sgleiniog a'i lygaid bach brown tywyll bron ar goll dan fantell ffluwchog ei aeliau. Gwyddai'n unionsyth pa fath o ddyn ydoedd wrth ddod wyneb yn wyneb ag ef, roedd digon ohonynt i'w cael o gwmpas bro ei febyd. Dynion diaddysg, twp a chwerw, parod eu tymer a pharod eu dyrnau hefyd; allan o'u helfen arferol fel bustych allan ar y caeau wedi treulio'u gaeaf yn y beudy.

'Mi a' i ffor' 'ma, ylwch,' meddai Huw gan wenu ar y dyn a chamu i'w ochr dde, sef y ffordd anghywir i ddringo'r grisiau yn ôl yr arwydd ar y gwaelod.

Cydiodd y dyn yn dynn ym mhenelin Huw, gan ei orfodi i stop llwyr yn ei ymyl. 'Paid rhoi achos i mi siarad efo chdi eto, washi, ti'n clywad?'

Edrychodd Huw yn ddifrifol ar y dyn cyn clywed llais cyfarwydd rywle ar y llawr uchaf yn galw, 'Huw? Huw Ifans myn uffar i!' Camodd Cledwyn Roberts i'r golwg o ganol anialwch y dodrefn a'r papur wal blodeuog ar y llawr uchaf. 'Be ddiawl ti'n neud 'ma?'

Nid oedd Huw wedi gwneud dim mwy na chiledrych ar Cledwyn cyn ailedrych i wyneb y dyn blin yn hylldremio'n ôl arno. Gollyngodd y dyn afael ar ei fraich a rhwbio'i bawen ddu flewog ar ei grys cotwm pyglyd.

'Tomos, hwn ydi Huw Ifans o Nantlla, hen ffrind,' meddai Cledwyn yn fyr ei wynt ar ôl brasgamu draw, gan roi ei law ar ysgwydd ei gyfaill oedd yn sefyll ar y ris islaw iddo.

'Ti'm 'igon hen i ga'l hen ffrindia, Robaitsh,' meddai Tomos wrth Cledwyn gan wgu a chychwyn i lawr y grisiau ar yr ochr anghywir. 'Wela'i di'n y Ship, a cofia ddod â dy gyflog a dy syched efo chdi.' O fewn hanner dwsin o gamau daeth Tomos wyneb yn wyneb â dyn tal yn gwisgo siwt a mwstásh trwsiadus.

'Y chwith i lawr, syr,' meddai'r dyn yn gyfeillgar, cyn ategu, 'Ac felly hefyd i fyny.'

Gwgodd Tomos ar hwnnw hefyd a dychmygai Huw y stêm yn codi o'i ysgwyddau. Ebychodd rywbeth dan ei wynt cyn rhoi ei law ar reilen chwith y grisiau a diflannu o'u golwg.

'Hidia befo am Tomos Hughes, 'di o byth mewn hwylia da. Dwi'n siŵr bod 'na nyth cacwn yn ei ben o, neu rwbath,' meddai Cledwyn yn llawen gan roi cledr ei law ar gefn Huw. 'Be ddiawl ti'n neud yn Port, Huw Ifans? Oeddwn i'n meddwl dy fod ti yn y Sowth hefo dy frawd.'

'Stori hir Cledwyn. Be *ti*'n neud yma?'

''Bach o siopa. Dwi'n gweithio yn chwaral Rhosydd, fyny ym mhen Cwm Croesor.' Cerddodd y ddau i ffwrdd oddi wrth y grisiau gan roi lle i'r dyn trwsiadus fynd heibio.

'Ers pryd?' gofynnodd Huw.

'Rhyw fis, pump wsos, ballu,' meddai Cledwyn yn ysgwyd ei ben ac yn gwenu fel ynfytyn.

'Dwi yn y chwaral isa, yng Nghroesor. Dwi prin yn coelio'r peth,' meddai Huw, yn crychu'i dalcen. 'Pam 'nes di 'im aros yn Nantlla?'

'Dim gwaith, Ifans. Dim ond Rhosydd oedd yn cyflogi.'

'Am 'i fod o'n rhywle nad ydi pobl am fynd yno i weithio, yn ôl be 'dw i 'di glywad,' meddai Huw, ddim yn siŵr a oedd ei frawddeg letchwith yn gwneud unrhyw synnwyr.

'Ma Rhosydd yn iawn, heblaw am y llau,' dechreuodd Cledwyn a chrafu'r gwallt byr ar gefn ei ben. 'Dyna pam dwi 'di ca'l crop go lew. Ac ma'r gwlâu yn y cytiau mor agos, ti bron â bod yn clywad gwynt y dyn drws nesa ar gefn dy wddw pan mae o'n chwyrnu. Ac ma'r bwyd yn blasu fel tail. Ac ma'r oria gwaith yn ddi-ben-draw am lai o bres o dipyn na Dorothea. A hwn ydi'r Sadwrn cynta i ni gael i ffwrdd mewn mis.' Roedd wyneb Cledwyn wedi suddo wrth iddo restru gwendidau dirifedi ei weithle newydd, ond yn sydyn dyma fo'n gwenu o glust i glust. 'Ond mae o'n waith yn tydi? A diawl! Ma hi'n ddydd Sadwrn a dwi yma yn un o siopa gorau'r sir efo un o fy ffrindia gora. Be ddiawl 'di'r ots ...' rhoddodd bwniad ysgafn i ysgwydd Huw gyda'i ddwrn wedi'i hanner cau.

Chwarddodd Huw yn ysgafn a chrafu'i ên wrth edrych ar Cledwyn o'i gorun i'w sawdl. Er mai'r un cymeriad gwirion a diniwed a fagwyd yn yr un pentref ag ef oedd y dyn o'i flaen roedd gwahaniaethau bychain ond amlwg ynddo hefyd. Y gwallt wedi'i dorri'n fyr, ond yn frysiog o flêr, ei ben fel croen dafad flwydd a stranciodd wrth gael ei chneifio am y tro cyntaf. Ei lygaid brown wedi'u suddo mewn cylchoedd duon yn ei benglog gwelw, a'r ffordd roedd ymyl ei geg yn plycio'n anniddig wrth iddo siarad 'fatha melin bupur.

'Dwi'n gor'od mynd ar ei ôl o,' meddai Cledwyn ymhen ychydig, yn crafu mynd trwy groen cefn ei ben ar ôl chwannen gyda bysedd prysur ei law chwith. 'Dim hwn,' ychwanegodd wrth ddangos y trychfilyn tywyll i Huw rhwng crafangau ei fys a'i fawd. 'Ar ôl Tomos a'r hogia. Ddoi di draw i'r Ship wedyn, Huw? Nes ymlaen?'

Edrychodd Huw arno'n dal ei afael ar y chwannen o'i flaen, fel pe bai'n ei chynnig iddo fel offrwm. Gwenodd yn ddifrifol arno. 'Ydi pob dim yn iawn, Cledwyn?'

'Ydi siŵr iawn,' atebodd Cledwyn, ychydig yn rhy gyflym, ychydig yn rhy ysgafn. 'O!' meddai o wedyn wrth godi llaw carchar y trychfilyn fel pe bai wedi cofio amdano eto mwyaf sydyn. Rhoddodd ei fysedd yn ei geg a hollti'r chwannen yn ddwy gyda'i ddannedd. Gwenodd Cledwyn yn goeglyd wrth gnithio gweddillion y trychfilyn i'r llawr a phoeri'n fyr ac yn gyflym. 'Ddoi di?'

Amneidiodd Huw a dyma Cledwyn yn taro'i ysgwydd a gwenu'n rhadlon wrth frysio heibio iddo a dawnsio i lawr y grisiau yn floeddgar fel plentyn yn cael blas ar ei chwarae.

*

'Disgwl am funud,' meddai Ephraim gan gydio ym mraich Huw.

Edrychodd y ddau ar y criw swnllyd, meddw, yn gadael tafarn y Llong i lawr y stryd dywyll.

'Be sy?'

'Rhwbeth yn rhyfedd ...' Tynnodd Huw, gerfydd ei lawes, yn ddyfnach i dywyllwch cysgod tai'r stryd yr ochr draw i'r dafarn, o olwg y criw.

'Be ti'n feddwl?'

'Ma rheina ar y blaen yn amlwg 'di meddwi, y morwyr 'na o Bwllheli, ond ma ffrindia dy ffrind di'n dal i edrych yn sobor i fi.'

Dyma'r eildro i'r ddau ymweld â thafarn y Llong wedi iddynt dywyllu'r drws ychydig ynghynt, a Huw yn awyddus i gael mwy o'i hanes gan Cledwyn. Paham y gadawodd Nantlle? Paham ei fod wedi derbyn swydd yn y chwarel waethaf yr ochr yma i Ddyffryn Ogwen? Pwy oedd y ffrindiau newydd yma?

Nid oeddynt wedi aros yno'n hir gan fod y Llong yn llawn morwyr meddw a mwg trwchus yn llosgi ac yn dyfrio'u llygaid cochion a hithau heb fod yn un o'r gloch y prynhawn. Gwthiodd y ddau eu ffordd i stafell gefn y dafarn ac yno wrth y bwrdd hir, llawn, yn y canol eisteddai Cledwyn, a Tomos gyferbyn ag ef. Roedd y pedwar dyn ar ben draw'r bwrdd yn chwarae dominôs, gyda llwyth o'u harian lliw pres yn nofio yn y pwll o gwrw ar y bwrdd sgleiniog. Waldiodd y dyn wrth ymyl Cledwyn ei ddominô olaf ar y bwrdd. 'Dyna chi 'ta'r caridýms diawl, cyfrwch nhw! Cyfrwch!' Chwarddodd y dyn a chodi ar ei draed. Disgynnodd ysgwyddau'r tri arall wrth iddynt ollwng gweddill eu dominôs ar y bwrdd a dechrau cyfri eu smotiau duon a gosod eu colledion yn bentyrrau ceiniogau ar ganol y bwrdd. Cododd yr enillydd y pres allan o'r lleithder yn wên o glust i glust.

Safai Ephraim dan grymu yn y drws isel. Gwthiodd Huw rhwng y cadeiriau a'r wal a rhoi'i law ar ysgwydd Cledwyn, trodd yntau a gwelodd Huw fraw yn ei lygaid am eiliad.

'Ifans!' Cododd Cledwyn a gafael yn llaw Huw a'i hysgwyd yn eiddgar. 'Fyswn i'n cynnig i chdi ista …'

'Ma'n iawn, dwi'm yn aros, dim ond …'

'Aros am beint, o leia?' meddai Cledwyn cyn iddo gael cyfle i orffen ei frawddeg.

'Na, wir yr, ti weld yn bry- …' meddai, er nad oedd Cledwyn yn chwarae'r gêm.

Cychwynnodd Cledwyn ei wthio yn ôl am y drws, 'Ewn ni drws nesa 'li, mwy o le.'

'Chdi eto,' ysgyrnygodd Tomos arno a gwgu'n llonydd o ochr arall y bwrdd.

Nodiodd Huw arno'n barchus.

'A pwy 'di hwn? Pwy 'di hwn 'ta, Cledwyn Caridým?' Disgynnodd y wên oddi ar wyneb yr enillydd wrth iddo ofyn ac aeth y stafell yn dawel.

'Ffrind o Nantlla, hen ffrind.'

'O?' meddai'r dyn, y gair yn rhuglo yn ei wddf. Gwthiodd getyn mawr i'w geg lydan.

'Huw Evans,' meddai Huw a chodi'i law ar bawb wrth y bwrdd. 'Su'mai.'

'Ma hi'n o lew, diolch am ofyn, Hen-ffrind-o-Nantlla,' meddai'r dyn, yn ysgwyd ei enillion yng nghadw-mi-gei ei ddwrn a chwerthin yn fodlon. Ffrwydrodd yr ystafell mewn hwyl ac ambell un yn dyrnu'r bwrdd. Rhannodd y dyn ychydig o'i bres rhwng un llaw a'r llall, ei estyn heibio i Cledwyn a'i gynnig i Huw. 'Dos i nôl peint i fi, 'nei di? Ac un i chditha 'fyd …' Edrychodd o gwmpas y bwrdd yn theatrig cyn ychwanegu, '… am fynd.'

Ailgydiodd pawb yn y chwerthin a'r bloeddio

wrth i Huw droi ar ei sawdl a gwthio'i ffordd heibio'r cadeiriau am y drws, yr angar llaith ar y wal yn gwlychu trwy'i grys, a'i siaced dros ei fraich.

Clywodd lais Cledwyn wrth ei gefn. 'Ifans, Ifans. Huw!' Roedd Ephraim eisoes wedi cychwyn allan o'r dafarn cyn i Huw gyrraedd drws yr ystafell ac roedd y ddau allan ar y stryd yng ngolau llachar canol dydd cyn i Cledwyn ddal i fyny â nhw. 'Huw, aros am funud!'

'I be, Cledwyn?' Trodd Huw ac edrych ar y llanc yn cydio'n erfyniol bathetig yn ei gap pig yn ei ddwylo.

'Ma'n ddrwg gynna i am Selwyn. Fel 'na mae o efo pawb.'

'Ffrindia ceiniog a dima 'di rheina, Cledwyn. Ti yn dallt hynna yn dwyt?'

'Dim ond Selwyn, Dic a Tomos dwi'n nabod. Rhyw forwyr o Bwllheli oedd y lleill, rheina oedd yn chwerthin.'

'Selwyn, Dic a Tomos dwi'n feddwl, y lembo.'

'Ma nhw'n iawn pan ti'n dod i ...'

'Ers faint wyt ti'n nabod nhw, Cledwyn?' meddai Huw yn colli amynedd. 'Pythefnos? Mis? Pennau bach 'dyn nhw, neu waeth pethau, pwy a ŵyr?'

'Helô, gyda llaw,' meddai Ephraim yn gyfeillgar wedi i Huw orffen ei araith. 'Pritchard, Ephraim Pritchard.' Cynigiodd ei law i Cledwyn.

Cododd hwnnw'i law tuag ato'n gyflym cyn ailedrych ar Huw, 'Fel 'na ma nhw i gyd yn y topia 'na, Huw. Tydi rhywun ddim bob tro'n ca'l dewis 'i ffrindia, na 'di?'

'Dan ni'n mynd i chwilio am rwla i ga'l bwyd, ti am ddod?' gofynnodd Huw wedi ymbwyllo mymryn.

'Well i fi fynd yn ôl.' Edrychodd Cledwyn arno a cheisio gwenu ond ddim cweit yn llwyddo. 'Tyrd draw nes ymlaen? Fama fyddan ni, dan ni'n aros yma hefyd.'

'Dwi'm yn gwbod, Cledwyn. Gawn ni weld.'

Nodiodd Cledwyn arno, a gwên lipa, ymbilgar ar ei wyneb gwelw. Gwasgodd ei lygaid ynghau yn erbyn golau'r haul ganol dydd. 'Diawl, ma'n ddwrnod braf, tydi?'

'Rhy braf i fod mewn tafarn dywyll trw'r dydd,' atebodd Huw.

Cododd y llanc ei ysgwyddau a chodi llaw ar y ddau gan stwffio'i het i boced lac ei drowsus budur a throi 'nôl am ddrws y dafarn.

Safai'r dafarn yng nghanol rhes o dai bychain ar Heol y Parc ar gyrion gwaelod y dref, dafliad carreg o'r cei. Rhes o dai moethus ar y Garth uwchben yn edrych i lawr drostynt. Gan nad oedd Porthmadog yn dre fawr iawn roedd Huw ac Ephraim yn ôl ar y Stryd Fawr lydan mewn munudau er iddynt lusgo'u traed wrth fynd drwy'r parc prysur. Nid oedd fawr o chwant bwyd arno, ond cynigiodd Huw i Ephraim y dylent giniawa yng ngwesty'r Commercial ar draws y stryd.

'Be sy'n bod?' gofynnodd Ephraim wrth gnoi ar ei gig eidion yn yr ystafell fwyta fawr, eu bwrdd wrth y ffenest yn cynnig golygfa dda o'r Stryd Fawr islaw.

'Dim,' atebodd Huw a rhoi'r gorau i'w syllu allan er mwyn edrych ar ei ffrind â gwên.

Ochneidiodd Ephraim wrth roi ei fforc ar ei blât ac eistedd 'nôl yn ei sêt. 'Ti'n gwbod os oes 'na un peth dwi wedi sylwi arno yn fy amser prin ar y ddaear 'ma ...'

Cododd Huw ei ên arno'n amneidiol.

'... tydi ffyliaid byth yn newid. Os ti'n ca'l dy eni'n hurtyn, ffŵl fyddi di wedyn a does 'na neb na dim yn mynd i newid hynny. Ma gin dy ffrind di ei lwybr ei hun i'w droedio, nelo fo'm byd â chdi, dim oll.'

Meddyliodd Huw am hyn am ychydig eiliadau cyn nodio'i ben a chodi'i fforc i bicellu hanner dwsin o bys ar ei blât a'u llyncu gan godi'i aeliau'n gomic ar ei gyfaill ar yr un pryd.

A'u boliau'n orlawn penderfynodd y ddau fynd am dro o amgylch yr ardal gan gychwyn am y mynydd bach, Moel y Gest, i'r gorllewin o'r dref. Y bwriad oedd dringo i ben hirgrwn y mynydd llwm, disgyn i lawr yr ochr draw a cherdded am y traeth yn y Morfa Bychan. Cau'r gylchdaith wedyn wrth ddilyn yr arfordir i'r dwyrain yn ôl am bentref Borth-y-gest, a'r fan honno'n gyswllt â Phorthmadog drwy lôn gul o dan y Garth i'r cei llechi.

Wedi mwynhau'r golygfeydd rhyfeddol ar y copa gwyntog, gyda chestyll Cricieth a Harlech i'w gweld yn glir i'r gorllewin a'r de, cychwynnodd y ddau drwy'r rhedyn trwchus i lawr un o'r nifer di-rif o lwybrau defaid. Erbyn cyrraedd traeth llydan Morfa Bychan sylwodd y ddau fod y llanw'n rhy uchel i ddilyn yr arfordir creigiog am Borth-y-gest. Felly wedi eistedd am ychydig yn pigo'r trogod styfnig oddi ar gnawd eu migyrnau, penderfynwyd crwydro drwy'r goedwig drwchus gan anelu i gyfeiriad y pentref glan môr. Aeth siwrnai hanner awr ar hyd y glannau yn siwrnai awr a hanner drwy'r goedwig ganol haf wrth iddynt arallgyfeirio'u llwybr sawl gwaith er mwyn osgoi'r drain trwchus a'r gwlâu di-ben-draw o ddail poethion aeddfed.

Cyrhaeddodd y ddau y pentref drwy'r coed mwyaf sydyn wedi blino'n lân, eu crysau'n wlyb o chwys. Nid oedd Huw wedi crybwyll gair am Cledwyn cyn hyn. 'Dwi am fynd i'w weld o, un waith eto.'

'Iawn,' atebodd Ephraim. 'Ddo' i efo chdi 'li.'

'Diolch,' meddai Huw heb droi gan gerdded i lawr stryd serth y pentref mwyaf prydferth iddo erioed ei weld, morfa Glaslyn o'u blaen hyd at y Cob a mynyddoedd Eryri tu hwnt.

Tynnodd Ephraim ar ddefnydd ei grys gwlyb. 'Well i ni fynd 'nôl i'r gwesty i newid gynta.'

Erbyn iddynt ymolchi a newid roedd yr haul wedi diflannu heibio copa hirgrwn Moel y Gest, a'r dref dan ei gysgod eang.

'Be sy'n dy boeni, yn union?' gofynnodd Ephraim wrth iddynt frasgamu i lawr y Stryd Fawr.

'Fedra i ddim rhoi ateb i chdi'n union,' ymatebodd Huw. Meddyliodd am ychydig cyn ategu, 'Tydi o ddim yn perthyn i fi, ond mae o fel brawd bach, ti'n gwbod?'

'Does gynna i 'im brodyr, felly ...'

'Dwi fy hun yn frawd bach a dwi'n gwbod yn union sut mae fy mrodyr yn teimlo amdana i. Ac ella mai felly dwi'n teimlo tuag at Cledwyn. Cymysgedd o 'fyrrath, dyletswydd, cyfrifoldeb a chasineb – neu rywbeth tebyg. Dirmyg, sy'n air gwell 'falla.'

'A be sy'n bod rwan hyn?'

'Tydi o ddim yn hogyn sy'n arfer byw ar ei nerfau. Mae o'n hogyn hapus, yn ddiflas o hapus, fel arfer. Rhywbeth rhyfedd amdano rwan, ti'n gwbod?' Trodd y ddau i lawr Stryd y Banc ac yna i'r chwith i lawr Stryd Lombard oedd yn troi at Heol y Parc. 'Dwi ddim ond isho gofyn iddo fo os ydi pob peth yn iawn.'

'A be os nad ydan nhw?'

Edrychodd Huw ar ei gyfaill. 'Gewn ni weld.' Wrth droi cornel raddol y stryd gwelodd y ddau griw o ddynion yn tyrchu allan o ddrws bach isel tafarn y Llong. Sylwodd Huw ar Cledwyn a braich hir y dyn a alwyd yn Tomos yn gafael o gwmpas ei wddf ac yn rhwbio'i wallt byr yn chwareus, ei fysedd yn ddwrn. Cododd Huw ei law at ochr ei geg gan baratoi i'w agor er mwyn gweiddi i lawr y stryd.

'Disgwl am funud,' meddai Ephraim, yn cydio ym mraich Huw.

Edrychodd y ddau ar y criw swnllyd, meddw, yn gadael y dafarn ac yn gwegio i lawr y stryd dywyll.

'Be sy?'

'Rhwbeth yn rhyfedd ...' Tynnodd Huw gerfydd ei lawes yn ddyfnach i dywyllwch cysgod tai'r stryd yr ochr draw i'r Llong, o olwg y criw.

'Be ti'n feddwl?'

'Ma rheina ar y blaen yn amlwg 'di meddwi, y morwyr 'na o Bwllheli, ond ma ffrindia dy ffrind di'n dal i edrych yn sobor i fi.'

'Be 'di'r ots? Tydi'r morwyr 'ma'n lecio meddwi'n wirion?'

'Beth am i ni 'u dilyn nhw am chydig, o bell? Gweld lle ma nhw'n mynd, ia?'

Edrychodd Huw ar y criw, Tomos a Cledwyn yn y cefn, y tri o Bwllheli ar y blaen a dau chwarelwr yn y canol a'u dwylo'n gorwedd yn gyfeillgar ar ysgwyddau rhai o'r morwyr simsan. Saith o ddynion yn swnllyd fel cathod yn cwffio ganol nos. Nodiodd heb edrych ar Ephraim a dyma'r ddau yn disgwyl iddynt droi'r gornel i'r dde wrth y porthladd cyn eu dilyn.

'Ma nhw'n mynd 'run ffordd ag y daethon ni pnawn 'ma,' meddai Ephraim.

Nodiodd Huw eto.

Nid oedd raid iddynt eu dilyn yn agos, dim ond cadw o'r golwg a dilyn eu twrw aflafar. Erbyn iddynt droi'r gornel roedd y dynion i'w gweld yn nhywyllwch yr hanner gwyll yn dilyn y ffordd gul rhwng craig y Garth a'r cei llawn llechi wedi'u gosod mewn pentyrrau niferus i hwylio ymaith o wlad eu creu.

'Borth-y-gest, hogia! Am Borth-y-gest â ni!' bloeddiodd un o'r criw o'u blaenau. 'Peint gora'r sir yn y Glanaber, hogia. Dowch, wir Dduw!'

Diflannodd y criw ac arhosodd Huw ac Ephraim i edrych o'u cwmpas. Roeddent yn sefyll wrth ochr yr harbwr a llongau'r *Beeswing* a'r *Mary Lloyd* yn mynwesu'i wal, eu hwyliau wedi'u cadw a'u mastiau'n chwibanu'n swynol yn yr awel ysgafn. Safai dyn ar starn y sgwner agosaf atynt yn pwyso ar y reilen gan smocio cetyn. Roedd y rhes o dai teras moethus tri llawr yn dirwyn i ben ar y dde fel roedd y cei llechi'n cychwyn ar y chwith. Nid oedd neb o gwmpas a diflannodd twrw'r criw gan adael sŵn rhythmig y llanw'n lapio wal yr harbwr yn eu clustiau.

'Be ti'n feddwl?' gofynnodd Ephraim. Cododd Huw ei ysgwyddau a cherdded yn ei flaen. 'Lle ti'n mynd rwan? Ma nhw'n mynd i Borth i feddwi. Huw, aros am funud. Awn ni draw i weld dy ffrind di bore fory cyn gadal. Huw!' Sibrydodd-weiddi enw'i ffrind ond nid oedd unrhyw oedi yng ngherddediad Huw Evans. 'Olreit, olreit,' murmurodd Ephraim wrtho'i hun, 'nawn ni ddilyn nhw i fewn i'r twllwch bol buwch ffernol 'ma, pam ddiawl ddim?'

Daliodd i fyny â Huw wrth iddo yntau gerdded yng nghysgod du'r graig uchel ar y dde. Rhes ar ôl rhes o bentyrrau llechi taclus cyn uched â'u gyddfau yn ymestyn ar y chwith mor bell ag yr oeddynt yn gallu gweld ar hyd y cei. Drwy brysuro'u camau dyma'r ddau yn ailymuno â thwrw cyfarwydd y criw hoenus. Dechreuodd eu llygaid gyfarwyddo â'r golau fin nos a gweld siapiau'n siglo yn y gwyll ryw ganllath i lawr y lôn gul.

Yna, sŵn cychwyn sgrech cyn iddi gael ei diffodd yn ddisymwth a gwreichion yn fflachio o waelod esgid ar y lôn gerrig. Diflannodd y criw dynion i'r chwith ymysg y llechi i dwrw rhyw fintai rhyfedd.

Edrychodd Huw ar ei gyfaill a dywedodd Ephraim yn dawel. 'Ddudes i, do? 'Sbeilwyr diawl 'dyn nhw.'

Brysiodd y ddau ymlaen yng nghysgod y Garth a thwrw'r ffrwgwd yn tyfu'n nes; dyrnau'n cofleidio wynebau a chyrff, hoelion gwadnau'n gwichian ar y llawr, mwstwr bloeddiadau'r ymosodwyr a'r dioddefwyr yn derfysg cymysg.

Estynodd Huw ei fraich i atal Ephraim oedd y tu ôl iddo. Edrychodd y ddau tua'r llecyn hirsgwâr, maint bwrdd llong, wedi'i amgylchynu â waliau o'r pentyrrau llechi a'r ddau chwarelwr, Dic a Selwyn, yn colbio dau o'r morwyr gan sefyll drostynt. Safai Tomos â'i gefn ar y wal bellaf yn cydio yn Cledwyn gerfydd ei wddf a hwnnw'n stryffaglo'n ddi-rym yn ei erbyn. Gorweddai'r trydydd morwr ar y llawr yn griddfan yn uchel ac yn dal ei ben.

'Well i ni fynd i chwilio am blismon,' sibrydodd Ephraim yng nghlust Huw.

'Dos di,' atebodd Huw.

'Ti'm yn meddwl …?' dechreuodd Ephraim cyn ochneidio a gafael ym mraich ei gyfaill. 'Ti dal yn gleisia i gyd ar ôl y grasfa 'na gest ti mis dwytha'n y Sowth. Fysa'r 'ffernols yma'n gallu dy ladd di Huw.'

Edrychodd Huw ar y chwarelwr o'r enw Selwyn yn cadw'i bastwn byr o ledr du yng ngwregys ei drowsus ac yn dechrau tynnu ar esgid ffêr newydd yr olwg y morwr diymadferth wrth ei draed.

'Dwi 'di bod â'm llygad ar rhein trw'r dydd,' clegarodd Selwyn.

'Aros yn llonydd y diawl bach,' chwyrnodd Tomos cyn rhoi dwrn, cyflym a chaled, ar gorun pen Cledwyn. 'Dwi methu ca'l y blydi peth i ffwr'.' Tynnodd ar fys modrwy Cledwyn nes bod ei law i fyny'n uchel a'i bengliniau'n plygu oddi tano. Daeth clec uchel wrth i'w fys ddatgymalu o'i figwrn llaw a bloeddiodd Cledwyn floedd sydyn, fel plentyn yn deffro o hunllef uffernol. 'O, ho! 'Bach yn rhy galed yn fanna,' meddai'r arteithiwr a chwerthin yn llon.

'Hwda gyllall,' meddai'r chwarelwr o'r enw Dic a lluchiodd hwnnw gyllell boced fawr, ei llafn ynghudd yn ei charn brown golau, tuag at Tomos ddegllath i'w ochr. Gollyngodd Tomos law Cledwyn i gipio'r rhodd. Ailgydiodd Dic yn ei waith o ysbeilio pocedi'r morwr a orweddai rhwng ei goesau. Cymerodd Cledwyn ei gyfle i wthio'n rhydd o afael ei arteithiwr a throi gan roi cic, fel ceffyl, at ben-glin y chwarelwr wrth ei gefn. Baglodd Cledwyn dros ei goesau wrth anelu am yr agoriad gan sgrechian mewn poen pan darodd ei law y llawr caled a bys ei fodrwy aur yn fflapio'n rhydd.

Wedi ailddarganfod ei draed, cododd Cledwyn ei ben a gweld, er mawr syndod iddo, Huw Evans yn camu allan o'r tywyllwch i faes y frwydr. Synhwyrodd fod Tomos yn prysur agosáu o'r tu cefn iddo a dechreuodd sgathru'n frysiog flêr tuag at Huw.

Cododd Huw ei ddyrnau fel bocsiwr a syllu ar Tomos wrth i Cledwyn ddisgyn unwaith yn rhagor wrth ei draed a throi i orwedd ar ei gefn yn griddfan ac yn gafael yn ei law glwyfedig.

'Ylwch pwy sy 'ma, hogia?' crechwenodd Tomos a hercian i stop yn y man lle disgynnodd Cledwyn gyntaf yng nghanol y sgwâr. 'Y coc oen arall 'na o Nantlla.' Roedd gwên nerfus wedi lledu ar draws ei wyneb hagr. Erbyn hyn roedd Dic ar ei draed ac yn y broses o gicio'i ysglyfaeth diymadferth drosodd ar ei fol, cododd ei ben a chwerthin yn gynnwrf i gyd wrth weld Huw'n modfeddu ymlaen tuag atynt. Roedd y chwarelwr arall, Selwyn, yn stompio'i droed dde i mewn i'r gyntaf o'r esgidiau ffêr. Edrychodd i fyny'n llywath ar Huw, fel pe na bai'n gallu meddwl am ddau beth ar unwaith. Dechreuodd Tomos agor llafn y gyllell gyda'i ddwy law.

Sylwodd Huw yn syth y buasai ar ben arno pe byddai'r chwarelwr yn canfod defnydd i'r gyllell a llamodd ymlaen a hergydio'r chwarelwr mawr gyda holl nerth ei gorff. Teimlodd boen wrth i'w dalcen chwalu trwyn Tomos a'r ddau ohonynt yn disgyn ar y llawr caled. Bloeddiodd y chwarelwr sgrech erchyll gan dasgu'i waed yn ddafnau mân i wyneb Huw wrth iddo daro'r llawr. Rholiodd Huw oddi ar y chwarelwr gan deimlo ychydig yn chwil a phawennu'r gwaed allan o'i lygaid. Sgrechiodd y chwarelwr mawr eto fel pe bai'n faban blwydd, ei ddwy law yn cydio yn rhan uchaf ei glun chwith a'i waed yn ffrydio allan o'i drwyn rhacs.

Darganfyddodd Huw ei draed yn simsan a sylwi ar garn y gyllell fel tasai'n gorwedd ar glun Tomos. Edrychodd eto a sylwi wedyn fod y llafn wedi'i hanner agor a'i fod wedi'i suddo'n ddwfn mewn man uchel yng nghlun y chwarelwr.

'Tomos!' cyfarthodd Dic. 'Be sy?'

Rhoddodd Huw ei law ar ei dalcen ysig cyn ei throi'n ddwrn unwaith eto wrth i Dic agosáu. Drwy gil ei lygaid gwelai Selwyn yn estyn ei bastwn o'i wregys ac yn camu dros gorff llipa'r morwr diesgidiau tuag ato.

Clywodd Cledwyn yn erfyn arno o'r tu cefn iddo, 'Tyrd o'na, Huw. O'na!'

Camodd Huw i'r ochr wrth i Tomos ar y llawr geisio cicio'i goesau oddi tano a gweiddi trwy'i ddannedd. Wrth iddo gamu'n nes tynnodd Dic ei wregys lledr a lapio'i hanner o amgylch migyrnau'i law dde gan adael y bwcwl yn hongian yn fygythiol drwm. Chwerthinai'n llawen fel ynfytyn llwyr â phoer yn wyn dros ei wefusau. Daeth i stop ryw hanner dwsin o gamau i ffwrdd oddi wrth Huw wrth i'r morwr oedd ar y llawr afael yn ei droed ac udo rhyw reg aneglur. Ysgydwodd y chwarelwr Dic ei hun yn rhydd o afael y morwr yn hawdd.

'Cau di dy geg y mwnci môr,' meddai gan chwifio'i fwcwl a rhoi clustan i'r morwr ar ei hyd. Bloeddiodd hwnnw gan gydio yn ei ben tra cadwai Dic y bwcwl i droi fel melin wrth gamu'n nes fyth at Huw. Roedd y chwarelwr yn fawr ac yn flewog fel arth a Huw yn edrych ac yn teimlo'n fwy fel Dafydd gyda phob cam bygythiol a gymerai'r Goliath chwyrligwgan hwn tuag ato. Teimlai ei hun yn mynd yn chwil wrth geisio cadw un llygad ar daith y bwcwl a'r llall ar y cawr gwallgof. Dechreuodd siglo o ochr i ochr wrth i'r ddau ddod o fewn cyrraedd i'w gilydd. Yna chwipiodd y chwarelwr y bwcwl tuag ato a'i daro'n ysgafn ar ochr ei ben wrth i Huw wyro o'i ffordd. Chwifiodd y bwcwl eto gan anelu am gopa ei ben, cododd Huw ei fraich yn amddiffynnol a hynny ddim ond mewn pryd i'w arbed ei hun, ond lapiodd y gwregys yn dynn ddwywaith o gwmpas ei arddwrn. Ciciodd allan yn wyllt a dall gyda'i droed dde a theimlo'i sawdl yn taro'n solet ar ryw ran o'i wrthwynebydd. Rhochiodd hwnnw ei ymateb a daeth y belt yn rhydd o'i law gan ryddhau Huw i gymeryd cam yn ôl oddi wrtho.

Yna gwelodd Huw rywbeth tywyll yn hedfan trwy'r awyr o'r ochr dde iddo a chlywodd floedd fel pe bai ci wedi cael cic hegar. Edrychodd i gyfeiriad y sŵn truenus a gweld y chwarelwr Selwyn yn sefyll yn llonydd gyda'i ddwylo i fyny wrth ei frest a golwg dychrynllyd, syfrdan o welw, ar ei wyneb barfog, ei lygaid yn grwn fel platiau. Disgynnodd ar un penglin gan droi ei gorff ddigon i Huw weld y llechen do denau wedi'i chladdu yn ei gorff trwy'r asgwrn palfais wrth ochr ei wddf.

'Sel?' bloeddiodd y chwarelwr Dic a dechrau brasgamu ar draws y sgwâr tuag ato.

Gwelodd Huw ei gyfaill Ephraim yn ymddangos yn yr agoriad ac yn helpu Cledwyn ar ei draed.

Llaciodd Huw afael y gwregys ar ei arddwrn a'i ollwng ar lawr cyn camu tuag at y ddau, gan osgoi Tomos a orweddai'n udo'n dawel ar y llawr budur. Yna gwelodd Huw olau melyn yn dawnsio yn yr agoriad tu ôl i'w ffrindiau a thwrw twr o draed yn agosáu'n gyflym. Camodd Ephraim yn bellach i mewn i'r sgwâr wrth i hanner dwsin o ddynion ruthro i'r adwy, a gafaelodd yng nghorff hanner effro Cledwyn. Dallwyd Huw gan olau disymwth eu lampau llaw llachar.

'Nhw! Fo a fo,' meddai llais o'r adwy a dyma rai o'r dynion yn symud ymlaen heb oedi, cydio yn Cledwyn a dechrau dyrnu Ephraim yn frwd.

'Hei!' protestiodd Huw ond roedd mwy o'r dynion yn anelu'n ddrwgargoelus tuag ato ef. Dechreuodd gerdded wysg ei gefn ac wrth fynd heibio i Tomos ar y llawr pwysodd tuag ato a thynnu'r gyllell allan o'i goes gyda phlwc nerthol. Sgrechiodd y chwarelwr eto.

'Nhw, ia nhw. Ylwch be ma nhw wedi neud i Selwyn.' Roedd Dic yn gorwedd wrth y wal bellaf yn magu'r chwarelwr Selwyn oedd un ai wedi marw neu wedi llewygu yn ei freichiau.

Ymunodd chwaneg o ddynion yn yr ymrafael, deg, efallai ddwsin i gyd, ac Ephraim yn cael ei golbio i'r llawr yn llwyr wrth i Huw gyrraedd y wal bellaf.

'Arhoswch, hogia,' meddai'r morwr agosaf at Huw, a orweddai ar ei hyd, yr ymdrech yn ei lais yn amlwg.

'Jac?' meddai un o'r dynion oedd yn ymlid Huw.

'O'r ffordd, out of my way!' meddai rhywun arall wedyn yn pawennu'i ffordd drwy'r fintai o forwyr a wynebai Huw. Edrychodd y dyn oedd â ffon drwchus ddu yn hongian yn ei law dde ar Huw am eiliad hir. Gwisgai het a thei ac roedd ganddo fwstásh trwsiadus, llydan. Aeth y sgwâr yn dawel wrth i'r dyn dynnu'i het a phenlinio yn ymyl y morwr anafus. Rhoddodd ei glust at wefusau'r morwr clwyfedig a dechreuodd y ddau sibrwd.

'Lladdwch nhw! Lladdwch y diawliaid!' sgrechiodd Dic, yn dal i siglo corff Selwyn, yn amlwg, erbyn hyn, yn crio.

Daliai Huw i bwyntio'r gyllell yn fygythiol i

gyfeiriad yr hanner dwsin o ddynion oedd am ei waed ac yn agosáu bob eiliad. Sylwodd ar ddau air wedi'u ysgythru ar waelod ei llafn gloyw – OPINEL – ac oddi tano – FRANCE.

'Ylwch ar Selwyn. Ylwch!'

Nid oedd Huw yn gallu gweld beth oedd ffawd ei gyfaill Ephraim trwy'r dorf o'i flaen ond roedd y sgwâr yn dawel erbyn hyn ar wahân i ebychiadau'r chwarelwr Dic a sŵn griddfan pathetig y chwarelwr Tomos.

Cododd y dyn â'r mwstásh helaeth oddi ar ei bengliniau, ailosod ei het ar ei ben a phwyntio tuag at Huw gyda'i ffon ddu. 'Leave him be.' Pwyntiodd wedyn heibio'r dynion o flaen Huw. 'Peidiwch â churo'r dyn yna, do you hear? Leave him. It's the others you want.' Pwyntiodd deirgwaith gyda'i ffon. 'Him.' Tomos. 'Those two.' Selwyn farw a'r Goliath galarus, Dic. 'And him over there,' meddai'n olaf gan bwyntio'i ffon tuag at Cledwyn yn gorwedd ar y wal dan olau lamp law wrth yr adwy.

'Nage,' meddai Huw, yn dal i afael hyd ei fraich yn y gyllell. 'Ddim fo. He warned us, sir.'

'Be ti'n ddweud? Gollwng y gyllell 'na, ffrind,' meddai'r dyn, ei acen yn ddiarth i Huw.

'Ffrind, ia. Fy ffrind i ydi Cledwyn. Fo rhybuddiodd ni am y lleill, dyna pam bod ni wedi'u dilyn ac yn gallu helpu. Ceision nhw ddwyn ei fodrwy o hefyd, edrychwch ar ei law o.' Wedi darfod ei araith, caeodd Huw lafn y gyllell a'i rhoi i gadw ym mhoced ei drowsus.

*

'Yfwch o Mister Evans. It'll do you good,' meddai'r Capten ar draws y ddesg fechan.

Eisteddai Huw mewn cadair freichiau bren yn gafael mewn gwydriad o rŷm, yn syllu'n ddwfn i'w waelod ac yn gwrando ar y dŵr yn dawnsio yn erbyn y sgwner tu allan. Cododd ei ben a gofyn, 'Be fydd yn digwydd iddyn nhw?'

'What does it matter?' meddai'r Capten yn chwarae gyda'i het ar y ddesg o'i flaen yn ddihidans. 'Be maen nhw yn ei haeddu, Mister Evans? A fair trial?' Edrychodd y ddau ar ei gilydd mewn tawelwch am gyfnod. 'Beth am yr un sydd eisoes wedi'i ladd? What would we say about him?'

Rhoddodd Huw glec i'r rŷm gan gau'i lygad dde'n dynn wrth i'r hylif gasglu'n fflam danbaid ar y ffordd i lawr ei wddf.

'Fydd rhaid i chi i gyd adael hefo ni fory. That would be best. Ni'n mynd â three hundred tons o lechi i Gaerdydd ar y llanw nesa. Mae eich ffrind obviously angen amser i wella.' Daeth bloedd uchel o'r caban drws nesa ym mherfedd y *Mary Lloyd*.

Trodd Huw yn ei sedd ac edrych ar ddrws caeedig y caban clawstroffobig. 'Bys eich ffrind yn cael ei wthio'n ôl i'w le, no doubt, a common enough injury at sea. Fydd yr hogyn yn iawn, peidiwch â phoeni.' Cydiodd y Capten y botel rým a'i chodi i gyfeiriad Huw. Rhoddodd ei wydr oddi tano i dderbyn jochiad hael, gwenai'r Capten yn ddireidus.

'Ma gynnon ni swyddi isho'u cadw, Capten Roberts. Fedran ni ddim eu gadael, heb ddweud gair.'

'Bydd rhaid, gyfaill. Questions will be asked. Better if no one is there to answer them. There will be no bodies. There will be no witnesses. Just empty questions.'

'Lle dan ni'n tri i fod i fynd?' gofynnodd Huw, yn rhoi'r diod feddwol ar y ddesg.

'Mae gen i brother-in-law in south Wales, manager in the coalfields in Merthyr. Your friend with the finger and yourself can find work there, with my recommendation. Dim problem, Mister Evans, dim problem.'

'A Mister Pritchard? Ephraim?'

'Efallai fydd hi'n wythnosau cyn fydd o'n gwella, he took quite a beating. Fydd o'n gallu ymuno gyda chi mewn rhyw fis, siŵr o fod. Fyddwn ni yn edrych ar ei ôl o, Mister Evans, peidiwch â phoeni. He is, after all, the hero of the hour.'

'Mis?' meddai Huw, yn rhwbio'r clais ar ei dalcen ac yn meddwl am wyneb ei gyfaill wedi'i anffurfio, yn amhosib ei adnabod.

'One calendar month, no more,' meddai Capten Roberts.

*

Hwyliodd sgwner dri mast y *Mary Lloyd* i lawr afon Glaslyn ac allan i'r bae ben bore drannoeth, cyn i dref borthladd Porthmadog ddechrau meddwl am ddihuno hyd yn oed. Doedd Cledwyn yn fawr gwaeth heblaw fod ei fraich mewn sling. Nid oedd Huw wedi cysgu winc, eisteddai wrth wely bync Ephraim yn y caban cysgu cyfyng yn edrych arno'n gorwedd ar ei gefn yn swrth, ei lygaid yn dawnsio'n ddi-baid dan ei amrannau chwyddedig, amryliw.

Wrth i'r sgwner ddechrau taro tonnau'r bae cymerodd y ddau forwr newydd eu tro i chwydu i'r bwced biso yng nghornel y caban, a chyfog gwag yn dilyn hyd nes iddynt gael caniatâd i ddringo i fyny at lawr y llong. Syllodd y ddau ar fynyddoedd Eryri o dan awyr felen yn codi'n las golau a'r haul yn belen oren berffaith o'r tu ôl i'r Cnicht. Nid oedd Huw wedi gweld y fath brydferthwch erioed. Roedd yr awel yn gynnes braf ar ei wyneb blinedig. Meddyliodd am ddigwyddiadau'r noson cynt, fel pe bai wedi'u breuddwydio a phrin y gallai goelio bod ei fywyd wedi'i droi'n bendramwnwgl, unwaith eto. Un wythnos roedd o'n gweithio mewn ffatri wlân, yr wythnos ganlynol roedd o'n chwarelwr a chyn pen diwedd yr wythnos hon, os bydd y Capten yn driw i'w air, mi fydd Huw Evans yn löwr. Roedd saith o ddynion yng nghriw'r *Mary Lloyd* a phob un ohonynt wedi ymddiheuro i Huw yn eu tro am roi'r grasfa ddamweiniol i Ephraim Pritchard. Roedd y dynion oedd wedi bygwth Huw â'r un driniaeth ar y cei llechi yn perthyn i'r llong arall oedd ym mhorthladd Porthmadog, sef y *Beeswing*. Nid oedd Huw wedi gweld na lliw na llun o'r chwarelwyr o'r Rhosydd ers iddynt oll fyrddio'r sgwner, ond gwyddai'n iawn beth fyddai'n digwydd iddynt unwaith i'r haul fachlud ac i'r *Mary Lloyd* gyrraedd ymhell allan i fae Ceredigion. Nid oedd yn teimlo unrhyw drugaredd tuag atynt. Nhw oedd wedi selio'u ffawd eu hunain, nhw a neb arall.

Yn hwyrach, wedi treulio'r dydd yn helpu gystal ag y gallai ar fwrdd y llong, aeth Huw i orwedd yn y gwely gyferbyn ag Ephraim yn y caban cysgu. Heb ddarganfod ei draed môr yr oedd Cledwyn ac wedi treulio'r dydd yn belen hunandosturus ar wely o rwydi a chynfas ar flaen y sgwner. Erbyn hyn roedd o'n chwyrnu'n drwm ar y gwely bocs uwchben Huw. Gorweddai Huw yno'n dawel yn gwrando ar y môr, y caban yn tywyllu'n araf wrth i'r nos feddiannu'r portyllau. Ymhen ychydig clywodd rai o'r morwyr yn cerdded y coridor tu allan i ddrws y caban, yna clywodd dwrw sgarmes aneglur, a sŵn rhyfedd o anghyffredin. Gwyddai Huw yn syth mai llais dyn oedd hwn, ei geg dan safnrwym, yn sgrechian am ei fywyd. Clywodd dwrw'i goesau'n cicio waliau'r coridor a'r morwyr yn mwngial ymysg ei gilydd wrth gyfarwyddo'r chwarelwr condemniedig allan i'r gwyll.

Ymhen ychydig clywodd dwrw rhywbeth yn syrthio'n fflatsh i'r môr.

Roedd y caban yn dywyll fel bol buwch erbyn y drydedd sblash a Huw heb symud modfedd, ond roedd yn gallu teimlo'i ddagrau'n casglu ar ochrau'i wyneb a llifo i'w glustiau.

Erbyn canol y prynhawn canlynol roeddynt wedi glanio yn nociau Caerdydd. Ni ddeffrodd Ephraim o'i drwmgwsg. Gadawodd Huw a Cledwyn y *Mary Lloyd* gyda chyfeiriad Mr Edward Davies a geirda gan ei frawd yng nghyfraith, Capten Robert Roberts, yn eu meddiant. Roedd ganddynt ychydig o arian ychwanegol yn cynnwys pres yr ysbeilwyr a chyfraniad dianghenraid a hael gan Capten Roberts. Cymerodd ddeuddydd iddynt gyrraedd y cyfeiriad oedd ar y darn papur. Pentref Gilfach-goch, wedi'i leoli yng Nghwm Ogwr Fach, a Chwm Rhondda draw i'r dwyrain ohono. Arhosodd y ddau yn nhafarndy'r Griffin yn y pentref i gael blas ar y bobl a'r tirlun cyn penderfynu a oeddynt am fynd i chwilio am Mr Davies yn y pwll glo. Digon prin oedd Saesneg y ddau lanc o Nantlle a rhyw gymysgfa ryfedd o'u mamiaith a'r Saesneg a geid gan drigolion Gilfach-goch, yn ddigon tebyg i gapten y *Mary Lloyd*. Ond wrth wrando'n ofalus a dyfalbarhau daeth y ddau i'r casgliad, yn wahanol i'r drefn yn chwareli llechi'r gogledd, nad oedd fawr ddim gwahaniaeth rhwng y naill bwll glo a'r llall. Ni chlywsant yr un gair da am Mr Davies, rheolwr y prif bwll yn Gilfach, ond nid oedd gan neb fawr o eiriau drwg amdano chwaith, ar wahân i'r gŵyn arferol am ddiffyg cyflog teg a gaech gan bob cloddiwr unrhyw le yn y byd, tybiodd Huw. Penderfynwyd mynd i holi'r rheolwr am swyddi gan nad oedd llawer o ddewis ganddynt, ac aros yno o leiaf hyd nes i Ephraim ailymuno â nhw.

*

Bymtheg mis yn ddiweddarach, roedd Huw yn gosod ei ddillad ar y lein yng ngardd gefn serth y tŷ teras bychan a rannai gyda Cledwyn ac Iddon Powell a'i wraig Dora, pan ruthrodd Cledwyn allan o'r drws cefn yn cydio mewn papur newydd, yn wên o glust i glust. Roedd hi'n brynhawn Sadwrn oer a gwyntog ym mis Rhagfyr a phrin oedd Huw yn gallu teimlo'i fysedd porffor wrth wasgu'r ffyrch dillad i'r lein i ddal gwaelod ei grys.

Agorodd Cledwyn y papur a'i ddal yn erbyn ei frest, rhag bod y gwynt yn ei gipio, wrth iddo frasgamu tuag at Huw. 'Ma nhw'n agor offis recriwtio yn Tonyrefail, yli ar hwn.'

Roedd tudalen o'r *Rhondda Gazette* yn agored ar ei gorff ac arno lun amlinellol o Gymru a geiriau'n fawr ar ei hyd:

I'R FYDDIN
FECHGYN GWALIA!

Cas gŵr
nid cas ganddo
elyn ei wlad.

CYMRU AM BYTH!

'Be ddudi di?'

Rhwbiodd Huw ei ddwylo, ei fysedd yn briciau brau, o dan ei geseiliau. Gwyddai pawb fod y diwrnod hwn ar ddod. Gwyddai Huw hefyd mai fo fysa'r cyntaf yn y ciw y diwrnod y buasai'r swyddfa gyntaf yn agor yn y cwm. Roedd o'n casáu mynd i lawr i'r pwll. Yn casáu'r lleithdra a thywyllwch anorfod ei dwneli a'i hen awyr oer, lwydaidd. Yn bennaf oll roedd yn casáu'r glo. Roedd o'n casáu'r union beth yr oedd yn ei gloddio allan o'r ddaear â phob rhan o'i enaid, a'r haen denau o lwch a gadawai'r garreg ddu werthfawr ar ei groen oedd yn amhosib ei waredu'n llwyr.

Bachodd y papur oddi ar Cledwyn gan ffeirio'r bag pegiau amdano. Derbyniodd hwnnw'r bag a cherddodd Huw heibio iddo i lawr i waelod yr ardd. Aeth i mewn trwy'r drws cefn, tynnu'i gôt drom a'i gosod wrth y gweddill ar wal bella'r pantri cul. Agorodd ddrws y gegin a theimlo'r gwres yn ei daro'n don hyfryd o groesawgar. Eisteddai Dora wrth y ffwrn ar y stôl deircoes yn trwsio un o sanau Iddon.

'What was that all about? He flew through the house like a banshee.'

Rhoddodd Huw y papur ar y bwrdd wrth ei hochr.

'Mam bach,' meddai'r wraig, ei hwyneb yn ddifynegiant, wrth gymeryd cipolwg ar y llun. 'And I s'pose you'll be going, will you?'

Nodiodd Huw ddwywaith wrth roi ei fysedd uwchben haearn crasboeth y plât.

'They need more men, Dora.'

'And Dwlali, out there?' meddai Dora wedyn, yn ystumio'i gên i gyfeiriad y ffenest gefn.

'Mwy na thebyg.'

'What about Idd?'

'Dio'm yn gorfod, Dora. Gwirfoddoli ydan ni, he'd have to volunteer.'

'He'll see you going …' meddai'r wraig ac roedd Huw yn gwybod bod y ddynes ar fin crio. Cododd y papur, heb edrych arni, a gwyrodd ei ben dan ddrws y cyntedd a throi i fyny'r grisiau i'w ystafell.

Eisteddodd ar ymyl ei wely'n darllen yr erthygl am y swyddfa recriwtio yn agor yn Nhonyrefail y dydd Mawrth canlynol. Meddyliodd am Ephraim Pritchard. Meddyliodd, pe byddai o yno gyda nhw, y byddai yntau yr un mor eiddgar i fynd i ryfel. Dychmygodd weld corff Ephraim yn gorwedd yn ddiymadferth ar fwrdd y llong cyn suddo'n dawel i waelod Môr Iwerddon, dychmygai hyn am y canfed tro ers iddo'i weld ddwytha. Dychmygodd weld gwên ddedwydd, ddidwyll ar ei wyneb gwyn, llonydd. Dychmygodd y dŵr yn ddu ac yn oer ac yn dawel.

IV

Camodd Huw allan o'r ffos i'r tir pantiog agored hir a llydan oedd yn fwrlwm o filwyr y bataliwn a Caterpillar Wood o'u blaenau. Erbyn hyn roedd hi'n ganol bore ac nid oedd unrhyw amheuaeth beth oedd yn eu disgwyl heibio i waliau amddiffynnol y goedwig. Roedd drewdod tanwydd y ffrwydron yn eu ffroenau a chymylau bach oren budur, sydyn, i'w gweld a'u clywed drwy ganghennau'r coed. Crynai nodau parod y gynnau peiriant yng nghlustiau Huw yn uwch gyda phob cam a gymerai. Roedd yntau'n un mewn môr o hetiau tun a ddiflannai o'i flaen i mewn i'r goedwig mewn tonnau di-baid; y dynion yn dilyn chwibanau treiddgar y swyddogion.

Trodd Cledwyn ac edrych ar Huw, 'Fedra i ddim, fedra i ddim Huw.' Dawnsiai ei lygaid yn ei ben a daeth gwên erchyll i feddiannu'i wyneb tenau. Roedd y poer yn wyn fel ewyn yng nghorneli'i geg.

'Dilyn fi,' meddai Huw a rhoddodd ei reiffl ar ei ysgwydd a chydio yng ngholer tiwnig Cledwyn i'w ddynnu mewn hanner cylch.

'Bloomin' Nora, Taff!' meddai David Davies, un o'r nifer o Gymry Llundain yn eu platŵn, wrth i Cledwyn ddod i stop yn erbyn corff y dyn.

'Sori, Davies,' atebodd Huw dros ysgwydd

Cledwyn. Edrychodd eto i lygaid Cledwyn, 'Dilyn fi, a paid stopio. Iawn?'

Nodiodd Cledwyn gan blygu'i ben yn euog, cyn derbyn pwniad sylweddol yn ei gefn gan Davies. 'Push on, Taff, we've got bastards to kill.'

Ymlaen â nhw i fyny'r codiad tir gan gyrraedd y prennau tenau wedi'u clymu â rhaffau haearn yn garped ar lawr i roi gafael dan wadnau eu hesgidiau. Sylwodd Huw ar y gwahaniaeth rhwng distawrwydd rhyfedd, iasol y mil o filwyr yn y pant a'r bloeddio a sgrechian gan y dynion tu hwnt i'r coed. Ffrwydrodd taflegryn trwy'r goeden yn syth uwchben Huw cyn hisian dros ei ben a glanio rywle yn y ffosydd wrth ei gefn. Disgynnodd cangen fawr a glanio'n drwm ar ben wal amddiffynnol Caterpillar Wood.

'You men, move that tree!' bloeddiodd Sarjant Ellis gan ymddangos wrth agoriad llydan y wal amddiffynnol ar ben y llethr. Un o'r nifer o agoriadau ar hyd y wal. Mynedfa i'r rhyfel.

Gwelodd Huw hanner dwsin o'r dynion o'i flaen yn brwydro gyda'r gangen fawr, ei dail carpiog yn chwifio o'u hamgylch. Roedd gweddill y bataliwn yn prysur ddiflannu drwy'r agoriadau eraill ac adran Huw o'r platŵn yn cael ei rhwystro gan y gangen.

'Sergeant,' meddai Samuel Jones gan ymddangos trwy'r dail. 'There's a man stuck ...'

'Stuck?' meddai Sarjant Ellis, yn camu'r ychydig

ffordd tuag at y dynion wrth yr agoriad. Dilynodd Huw a gweddill y dynion ef yn reddfol.

'It's Private Greaves, Sergeant,' esboniodd Jones gan bwyntio at y milwr wedi'i wasgu yn erbyn wal sachau tywod yr agoriad gan frigau'r gangen. Roedd Greaves yn welw fel calchen ac yn anadlu'n drwm, ei lygaid wedi'u gwasgu ynghau. Edrychodd Huw ar ddwylo'r milwr ifanc yn crafangu ar frigyn a rwygai trwy'i glun fodfeddi o'i gedorfa gan dorri i mewn i un o'r sachau tywod tu ôl iddo a'i gaethiwo yn y fan.

'Out the way, lad,' meddai'r sarjant gan wthio Jones o'r neilltu. 'Got to move you, son. War's not going to wait. Cydiodd y sarjant yn y brigyn.

'No, no, wait!' sgrechiodd Greaves, yn cydio yn nwylo'r sarjant.

'It'll be over in a mo, lad. Hold still.' Edrychodd y sarjant i fyny ar y milwyr eraill oedd yn sefyll o gwmpas y gangen. 'When I say go, lift the tree up.' Amneidiodd un o'r dynion a chydiodd y gweddill ym mrigau'r gangen.

'No!' sgrechiodd Greaves eto.

'Go!' bloeddiodd Ellis a chododd y gangen gan dynnu'r brigyn milain allan o'r sach dywod yn y wal. Rhwygodd y brigyn i fyny ac allan drwy gnawd clun Greaves gan ei godi oddi ar ei draed gyda'r fath rym wrth sboncio'n ôl i'w fan naturiol. Disgynnodd y milwr yn rhydd a diymadferth yn erbyn wal yr agoriad. Lluchiwyd y gangen ar ben y wal ochr gyferbyn gan y milwyr. Llifodd y gwaed yn afon ruddgoch allan o'r trychiad tywyll yng nghoes Greaves. 'On your way boys, and Jones, get a medic for this man,' meddai'r sarjant, yn clapio'r mwsog oddi ar ei ddwylo.

Cerddodd Huw heibio i Greaves yn ei dro a milwr arall yno'n pwyso drosto yn gwasgu'i ddwy law o gwmpas ei anaf. Roedd gwaed Greaves yn dal i fyrlymu'n dywyll a thrwchus fel olew o'r archoll trwy fysedd ei gynorthwyydd. Edrychai Greaves i rywle o'i flaen, ei lygaid yn hanner agored. Doedd fawr o fywyd ynddynt, meddyliodd Huw gan edrych i ffwrdd o wyneb y milwr ifanc, trancedig.

Trwy'r agoriad ac i mewn i Caterpillar Wood wedyn a synhwyrau Huw yn cael eu boddi'n unionsyth gan wirionedd cwbl estron ei amgylchedd. Newidiodd popeth mewn eiliadau. Roedd cyrff ar lawr ym mhobman wedi'u hanner suddo dan draed i'r llaid trwchus. Chwythai gwynt cryf i'w wyneb ac arno oglau carthion dynol a thanwydd. Hisiai bwledi drwy'r coed o'r bryn ddau gan metr i'r dde iddo gan adael creithiau ar y boncyffion a chwalu brigau'n deilchion. Martsiodd Huw yn ei flaen drwy'r goedwig fel gweddill yr 11th SWB yn dilyn chwibanau'r swyddogion. Crynai'r tu mewn i'w glustiau'n boenus wrth i ffrwydryn chwythu o'i flaen yn y coed a gyrru cawod o goed, dail a shrapnel i bob cyfeiriad. Teimlodd fetel yn cwrdd â metel ar ei helmed a chlywed ei dinc. Camodd ymlaen i'r chwith gan gicio a baglu dros y gwely o gyrff a brigau dan draed. Neidiai ei lygaid o gwmpas y dinistr o'i flaen, ond am ryw reswm doedd Huw ddim am edrych tuag yn ôl am bris y byd. Roedd fel pe bai'n cael ei lusgo ymlaen o'i anfodd, ei sugno gyda'i fataliwn allan o Caterpillar Wood ac am y tir agored. Sïai'r bwledi'n swnllyd fel cacwn blin heibio i'w glustiau o'r tu cefn iddo. Codai sgrechfeydd y dynion archolledig o bell ac agos yn gôr o'i gwmpas. Ymlaen, allan o'r coed a'r cadfaes gwyrdd yn disgyn a dringo'n bowlen agored o'i flaen i ddiweddu ar ymyl gorllewinol coedwig Mametz. Syllodd Huw ar y gyflafan o'i flaen wrth gamu allan ar laswellt, oedd wedi'i stompio'n fflat, am y tro cyntaf mewn wythnos neu fwy. Tasgodd ffrwd bwledi o ddryll peiriannol cudd rywle yn y goedwig yn rhaff loyw danllyd; anelai am donnau o filwyr y fyddin Gymreig. Nid oedd un o'r rhaffau gloyw yn gwreiddio yn y pridd ond yn hytrach yn taro a difetha cnawd y dynion wrth ddynesu. Ymddangosodd darn o awyr las trwy'r cymylau llwyd uwchben y goedwig fel pe na bai dim o'i le yn y byd, gan yrru ias i lawr cefn Huw Evans. O'i flaen bob rhyw ddwy eiliad ffrwydrai darnau bach o dir rywsut-rywsut, digwyddai hynny'n amlach ac yn amlach wrth i Huw symud yn nes at ymyl coedwig Mametz. Nid oedd mwy na hanner y milwyr o'i flaen yn dal i sefyll ac roedd y sgrechian yn atgoffa Huw o fabanod yn crio. Ni welai sut y gallai unrhyw ddyn oroesi'r fath alanast, ond ymlaen y cerddodd yn cydio yn ei reiffl a'i ddal o'i flaen yn ôl ei hyfforddiant.

Rhedodd milwr heibio'i ysgwydd dan weiddi a dal ei reiffl fel pastwn, ei helmed ar goll a gwaed yn diferu o'i glust dde.

Rywsut cyrhaeddodd Huw waelod y bowlen a gweld degau o filwyr yno'n gorwedd ar y llawr cerrig mân, rhai yn smocio, rhai yn cydio yn eu helmedau, eraill yn syllu i fyny arno â llygaid pantiog, diemosiwn. Tybiai mai dyma'r unig fan ar y tir agored hwn na allai bwledi'r Almaenwyr ddod o hyd iddo. Roedd un wyneb coch ymysg y llinell o wynebau ysbrydion gwelw, a lliw'r gwaed ffresh ar ei wyneb yn sgleinio wrth i'r haul ymddangos trwy'r cymylau.

Gwelodd Huw un wyneb cyfarwydd yn y llinell, Edward Hughes, glöwr yn ei dridegau oedd o'r un platŵn ag yntau, edrychai trwy Huw'n gythryblus draw at y tir y tu ôl iddo. 'Ted?' gwaeddodd uwch twrw'r frwydr. 'Ti'n coelio hyn?'

Nid atebodd Edward Hughes, dim ond dal i edrych draw tu hwnt i'w ysgwydd.

'It's that bloody enfilade fire from the direction of

Sabot and Flatiron, we're like fish in a bleedin' barrel, butt,' meddai'r milwr a eisteddai wrth ysgwydd chwith Hughes mewn llais uchel ag acen Caerdydd.

'How long have you been …?'

'Since the push, only six of us made it here before your mob arrived. So, two hours maybe. Runnin' out of cigs.'

'You're with the 16th?' gofynnodd Huw ac eistedd gyferbyn â'r milwr o Gaerdydd.

Nodiodd ac yna ysgwyd ei ben. 'Not that there's much left of it, mind. Bastards slaughtered us like cattle. Don't remember hearing any rifle fire.'

Edrychodd Huw ar ei reiffl yn ei ddwylo ac yna ar y milwr gan ysgwyd ei ben. 'When …?' dechreuodd ofyn.

'Jesus!' meddai'r milwr, ei lygaid yn fawr yn ei ben ac yn edrych i fyny heibio ysgwydd Huw.

Trodd Huw yn sydyn ar ei ben ôl a gweld milwr yn cerdded yn araf a phwyllog i lawr y bryncyn tuag atynt. Nid oedd reiffl yn ei ddwylo estynedig, na helmed ar ei ben. Nid oedd chwaith ond hanner gên yn hongian yn llipa dan y düwch amhosib lle dylai ei wyneb fod. Nid oedd llygaid yn ei ben, na thrwyn na bochau na cheg na chroen. Roedd un glust yn ei lle a'r llall yn ôl pob tebyg gyda gweddill ei wynepryd rywle ar faes y gad. Nid oedd diferyn o waed i'w weld yn unman ar ei iwnifform.

Cododd Huw ar ei draed fel roedd y milwr diwyneb yn disgyn ar ei ben ôl wrth lithro ar y cerrig mân. Ffrwydrodd y llawr tu cefn iddo gan yrru cawod o bridd a llwch allan o'i gwmwl brwmstan i lanio ar y milwyr yn swatio yn y pant. Yn adladd y ffrwydriad cododd Huw ei ben a gweld y milwr heb wyneb yn gorwedd ar ei ochr ychydig yn uwch nag ef, ei benelinau'n cadw'i ben yn glir o'r llawr. Roedd y gawod o bridd yn orchudd ar ei gefn a'r dafnau gwaed trwchus wedi dechrau llifo'n rhaeadr tila o'i benglog.

Cydiodd Huw yn esgidiau'r milwr, ei droi ar ei gefn, a'i lusgo i lawr y bryncyn i waelod y pant gan weiddi, ei lais yn uchel fel merch, 'Medic.'

'No medics here, private,' meddai'r milwr o Gaerdydd wrth agor y cwdyn mwyaf o'r rhai oedd yn hongian ar ochr ei gorff. 'But here, I've got some bandage.'

Roedd y milwr diwyneb yn chwyrnu'n ddigon uchel i gael ei glywed uwchlaw twrw'r gynnau peiriant wrth i'r gwaed garglio yn ei wddf. Cydiodd Huw yn ei law dde i'w godi ar ei eistedd pan oedodd gan gyffwrdd yn y fodrwy sêl ar ei ail fys.

Cledwyn.

Edrychodd eto ar yr wyneb erchyll, yr ên heb ddannedd yn hongian yn llipa a darnau o asgwrn gwyn ei benglog yn amlwg drwy lif y gwaed. Edrychodd eto ar fodrwy sêl tad Cledwyn a wasgwyd yn dynn am ei fys er pan oedd yn blentyn. Teimlodd Huw groen ei wyneb yn tynhau wrth iddo syllu fel delw ar y fodrwy aur. Nid oedd unrhyw amheuaeth nad llaw Cledwyn oedd yn llaw Huw. Ond ni allai ei ymennydd dderbyn rywsut mai Cledwyn oedd yn berchen ar y belen borffor unglust uffernol.

Rhoddodd y milwr o Gaerdydd y rhwymyn yn llaw lonydd Huw, a dweud, 'Knew him, did you?'

Edrychodd Huw arno'n sydyn, a dryswch yn ei lygaid, wrth iddo ddychwelyd o'i lesmair angladdol. 'Know him … ydw ydw.' Sylwodd ar y rhwymyn yn ei law a dweud, 'Diolch, thank you.'

'Dim problem, butt.'

Rhoddodd Huw law Cledwyn i orwedd ar ei ysgwydd a chodi gwaelod ystlys ei diwnig i estyn pecyn o'i boced fewnol, FIRST FIELD DRESSING wedi'i ysgrifennu uwchben y cyfarwyddiadau defnydd ar y blaen. Aeth i estyn ei becyn yntau o'i guddle yn ei ystlys. Rhwygodd ddau dâp y ddau becyn yn rhydd a'u hagor allan ar ei lin. Gwelodd yr ampylau bach o ïodin wedi'u cuddio yng nghanol y rhwymau. Cymerodd yr ampylau, un ar ôl y llall, yn ei ddwylo crynedig gan dorri'u caeadau gwydr a thywallt yr hylif tywyll i ymledu yn oren gorwych ar hyd y rhwymau. Rhwymau bach hirsgwar i drin anafiadau cymharol fychan megis anafiadau saethu oedd y 'first field dressing', nid archollion angheuol dwfn ond nid oedd dim arall ar gael.

'Hold him,' meddai Huw, a dyma'r brodor o Gaerdydd yn codi i eistedd wrth ochr Cledwyn a chydio yn ei ysgwyddau. Dechreuodd Huw ddadrowlio'r rhwymyn cyn gosod y pedwar darn hirsgwar o ddefnydd yn y man lle'r arferai wyneb Cledwyn fod gan osgoi rhwystro'i anadl cystal ag y gallai. Rhowliodd y rhwymyn o amgylch ei ben gan deimlo'i glust yn symud yn rhydd o'i benglog. Ymatebodd Cledwyn fawr ddim i'r driniaeth ond roedd ei anadl i'w glywed yn rhuglo'n gryf a chyflym wrth waelod y penglog gwyn a'r rhwymyn yno'n siffrwd mymryn. Wedi darfod, gafaelodd Huw yn ei law unwaith eto a'i gwasgu'n dynn. Tyfodd blotiau rhuddgoch ar hap dros y rhwymyn, wrth i waed Cledwyn ymddangos drwyddo.

Edrychodd Huw o'i gwmpas a gweld bod dwsinau ychwanegol o filwyr wedi'u gwasgu i'r pant hir a chul erbyn hyn a thwrw'r gynnau a'r ffrwydradau unwaith eto'n mynnu blaenoriaeth yn ei glustiau. Cododd ei gorff ychydig ar y llethr gan wenu ar y milwr o Gaerdydd. Gollyngodd hwnnw'i afael ar Cledwyn a mynd yn ôl i orwedd gyferbyn ag ef. Gafaelodd Huw yn ysgwyddau Cledwyn ac edrych i fyny ar y frwydr yn ffrwydro yn erbyn yr awyr las golau uwchben. Aeth amser heibio a sŵn y rhyfel yn codi a gostwng bob yn ail. Daeth mwy o filwyr i mewn i'r pant nes bod o leiaf cant ohonynt yno'n drwch, eu reifflau bob sut yn edrych fel drain uwch eu pennau wrth i Huw edrych i lawr y lein.

Yna clywodd Huw lais cyfarwydd yn bloeddio o bell drwy'r pant. Edrychodd i gyfeiriad y llais a gweld y dynion yn codi ac yn sythu'u reifflau cyn i Ellis ymddangos, ei streipiau sarjant yn amlwg, yn wyn fel gwylanod, ar ysgwydd ei fraich estynedig.

'What's the hold-up? You men. Out and OVER! Out, and up that bloody hill. Quick as you like, now.' Chwifiodd bistol yn union fel pe bai'n swyddog, ei bwyntio tua'r awyr o'i flaen a chamu drwy'r pant. Cododd bron pob un o'r milwyr ar eu traed o'i weld yn syllu i lawr arnynt wrth basio. Clywodd Huw dwrw'r gynnau peiriant o'r goedwig yn cynyddu wrth i'r milwyr ddechrau dringo allan o'r pant. 'Out and up, boys! Come on, boyos! On your bleedin' feet lad,' meddai'n rhoi cic galed i draed y milwr oedd â'i wyneb yn waed, y gwaed wedi sychu'n graciau tywyll arno erbyn hyn. Ni symudodd a daeth Sarjant Ellis yn ei flaen. Cydiodd yng ngholer Edward Hughes, nad oedd wedi symud ers i Huw gyrraedd, a dechrau'i lusgo ar ei draed. 'Pick your rifle up soldier. Wakey-wakey!' Rhoddodd slap galed i wyneb difynegiant Ted Hughes, ei foch ag ôl bysedd coch arno. Gollyngodd ei afael a syrthiodd Ted Hughes yn drwm ar ei eistedd ar unwaith; aeth Sarjant Ellis yn ei flaen. Cododd y milwr o Gaerdydd ar ei draed ac yna cododd pawb arall o'u cwmpas heblaw am Huw a Cledwyn. Cydiodd Huw yn ei reiffl gan gadw'i fraich chwith am ysgwyddau Cledwyn.

Safodd Sarjant Ellis uwch ei ben. 'On your feet, Private,' mynnodd a rhoi cic i sawdl Huw.

'No, Sergeant,' meddai Huw, yn bendant gan syllu i fyny ar y swyddog digomisiwn.

Daeth Sarjant Ellis i stop, fel pe bai'n gwch hwylio'n stopio'n llwyr mewn storm. Edrychodd y ddau i lygaid ei gilydd am eiliad hir cyn i'r sarjant edrych ar Cledwyn a gofyn, 'Who is this man?'

'Private Roberts, sir,' meddai Huw. 'In a bad way, Sergeant.'

'Leave him, Evans. On your feet and into those woods.' Roedd y sarjant yn pwyso tuag ato ac yn siarad yn rhesymol. 'The medics will pick him up.'

'No, Sergeant,' meddai Huw.

Pwyntiodd y sarjant ei bistol i wyneb Huw. 'On your feet, soldier.'

'No.'

Pwyntiodd y pistol tuag at Cledwyn, yna aeth ei lygaid yn fawr yn ei ben gan syndod wrth i smotyn tywyll ymddangos ar ei dalcen. Agorodd bysedd ei law dde a disgynnodd y pistol i'r llawr wrth i'r hanner dwsin o filwyr o'u cwmpas ddechrau sgrialu i ffwrdd oddi wrthynt.

'Jesus, butt!' meddai'r milwr o Gaerdydd, yn disgyn yn ôl a gafael yn ei fwstásh gyda dychryn yn ei lygaid. 'What you done?'

Byrlymodd un rhes brysur o waed allan o'r smotyn tywyll a disgynnodd Sarjant Ellis yn ôl i eistedd ar y llethr yr ochr draw, ei helmed ddur yn dynn a di-werth dan ei ên. Edrychodd Huw ar ei reiffl yn ei law dde a'i fys ar y taniwr. Dechreuodd y milwyr adael y pant. Cododd y milwr o Gaerdydd ei reiffl a dechrau brasgamu i lawr i waelod y pant i ffwrdd oddi wrth Huw a Cledwyn. Dilynodd Huw ei siwrnai tua'r gornel gyda'i lygaid cyn troi i edrych unwaith eto o'i gwmpas. Hanner dwsin o ddynion clwyfedig ac un sarjant marw yn unig oedd ar ôl gydag ef yn y pant hir erbyn hyn. Lluchiodd ei reiffl ar lawr a rhoi ei law oer dros ei lygaid. Gostyngodd Huw ei ben, ei benelin yn suddo i'w ystlys.

Aeth amser heibio.

Daeth synau'r frwydr, yn llai ffyrnig, yn ôl i'w glustiau. Teimlodd ei fysedd ar ei wyneb a gwres yr haul llachar ar ei amrannau drwy ei fysedd. Teimlodd sodlau'i draed ar y cerrig mân. Dihunodd o'i synfyfyrdod. Agorodd ei lygaid a gweld y milwr o Gaerdydd yn eistedd gyferbyn. Efallai bod hanner cant o filwyr mewn dwy linell ar hyd gwaelod y pant. Edrychodd ar Cledwyn, yn dynn wrth ei ochr, a'i fraich wedi syrthio i gysgu'n cydio ynddo. Roedd ei rwymau'n lliwiau porffor, oren a melyn, yn gymysgfa o'r ïodin a'i waed, ac roedd wedi bod yn diferu ar hyd ei iwnifform.

Nid oedd Ted Hughes wedi symud modfedd, syllai ar y milwr o'i flaen.

'Moved him up top,' meddai'r milwr o Gaerdydd. 'Jenkins,' meddai'n estyn llaw ar draws y gagendor, 'John Jenkins.'

'Huw,' ysgydwodd ei law, ei lygaid yn boenus fel cleisiau, 'Evans.'

'Shot by the Boche. Anybody says any diff'rent, must've been standin' too close to a whizz-bang, eh?'

Syllodd Huw ar John Jenkins, prin yn gallu dirnad ai breuddwydio ydoedd ai peidio. 'You moved him?'

'You even listenin'? Fritz got 'im, as he was goin' up.' Taniodd John Jenkins sigarét. 'Your mate still with us?'

Rhoddodd Huw ei law ar frest Cledwyn a theimlo'i galon yn curo'n gyson fel eiliadau cloc. Nodiodd ar John Jenkins.

'Sure that not your hand you're feelin'?' Gwenodd arno trwy gwmwl o fwg. 'Beatin', I mean. Seen a few make that mistake, like.'

Llyncodd Huw, â'r mymryn poer yn ei geg yn

86

suddo'n boenus fel ysgallen i lawr ei wddf crimp. Rhoddodd ei law lle y dylai gên Cledwyn fod, gan deimlo'i anadl yn gryf ar ei fysedd. Nodiodd eto a phwysodd John ymlaen a datod botwm dal potel ddŵr ar y strap wrth ochr Huw. Tynnodd y botel allan a'i hagor.

'Drink,' gorchmynnodd. Ufuddhaodd Huw a dywedodd John, 'He won't last long here. Think you can carry him back?' Nodiodd Huw. 'It'll be gettin' dark soon enough. You'll be on your belly, like. Crawlin'. He'll be on your back. It'll be hard.'

'How will we keep him on?' gofynnodd Huw.

Meddyliodd John am ychydig, ei wyneb yn llonydd, cyn ateb, 'We'll use his straps to strap him onto your straps, tidy like.'

Gwenodd Huw arno gan symud ei fraich gysglyd, yn bigau fel pigau dail poethion drwyddi, oddi ar ysgwydd Cledwyn. 'What about you?'

'I'll wait until it's good and dark, but I doubt he's ...' Nodiodd tuag at Cledwyn. 'Do you think he's awake in there?'

'Dwi'n gobeithio, i'r nefoedd, nad ydi o ddim,' meddai Huw a gwenodd John Jenkins yn chwithig, fel pe bai wedi'i ddeall yn iawn.

Ymhen hanner awr roedd y tri ohonynt ar frig y boncyn a Cledwyn wedi'i glymu ar ei fol i gefn Huw. Roeddynt wedi rhwymo coesau Cledwyn gyda'i gilydd yn gyntaf a rhaffu'i freichiau yn dynn at ei ochrau.

'It looks like you're carrying one of those mummy things, in the papers,' meddai John, yn tynhau un o'r strapiau ar gefn Huw.

Gorweddai Huw ar ei stumog a Cledwyn yn faich, fel sachaid o lo, ar ei gefn. Roedd hi'n ymdrech i allu cymeryd gwynt i'w ysgyfaint. Rhwbiai ei ben rhwymedig yn ludiog wlyb yn erbyn cefn gwddf Huw.

'Keep moving, butt. And good luck,' meddai John gan roi llymaid olaf o ddŵr iddo cyn stwffio'r botel yn ôl i felt ystlys Huw a rhoi ei law dan sawdl ei esgid.

Gwenodd Huw arno'n ddiolchgar a gwthio yn erbyn ei law gadarn gan dynnu'i hun a Cledwyn dros ben ymyl y boncyn. Erbyn hyn, roedd yr haul wedi diflannu islaw tir y gelyn i'r gorllewin a'r awyr yn un cynfas llwyd. Gwasgodd Huw dalpiau o'r gwair gwlyb yn ei ddwylo gan godi'i ben ac edrych o'i gwmpas. Gorweddai corff milwr yn ei ymyl, ei wyneb wedi'i foddi mewn pwll bas. Claddwyd ei helmed ar ei hochr hyd at ei hanner ger ei ben, edrychai ei phowlen wag fel amffitheatr ar bwys llyn i Huw.

Nid oedd y gynnau peiriant wedi'u tawelu'n llwyr ond yn hytrach roeddent yn canu mewn hyrddiau ysbeidiol o bob cyfeiriad. Roedd y ffrwydron wedi tewi'n llwyr ond roedd ergydion reiffl i'w clywed yn gyson nawr ac yn y man o'i gwmpas. Daeth twrw peiriant yn gyflym i'w glustiau a hedfanodd awyren uwchben yn swnllyd ac isel. Mor isel nes bod Huw yn meddwl ei bod am lanio ar eu pennau. Diflannodd y twrw mewn eiliadau.

Llusgodd Huw ymlaen ar hyd y tir llaith, heibio corff y milwr, ac anadl Cledwyn yn rhuglo'n niwmonig yn ei glust. Er bod Caterpillar Wood i'w gweld yn amlwg ar y dde iddo roedd y tir yn codi'n rhy serth i'w hymyl, ac yno safai rhes ar ôl rhes o'r amddiffynfeydd weiren bigog. Felly roedd yn rhaid dringo'n raddol yn ôl y ffordd hir i'r man lle ymunwyd â'r frwydr i ddechrau.

Cododd ei ben eto a gweld medic yn y pellter yn ei gwman wrth symud tua'r pant a rhes o fwledi gynnau peiriant yn poeri pridd i'r awyr tu cefn iddo. Wrth graffu ar y tirlun sylwodd fod dwsinau o filwyr un ai'n cwffio neu'n gwasanaethu rhywun, gan symud i bob cyfeiriad heblaw, hynny yw, tua chyfeiriad coedwig Mametz. Dyn yn gwibio un ffordd, yna un arall yn rhuthro'r ffordd arall. Siwrneiau byrion, peryglus.

A Cledwyn wedi'i rwymo'n dynn ar ei gefn roedd Huw yn falch o'r tir gludiog, mwdlyd, er iddo gael tipyn o drafferth cael gafael iawn wrth fentro'n rhy agos i un o'r tyllau ffrwydron niferus.

Cymerodd hanner awr iddo deithio yr un pellter ag y buasai wedi gallu'i gerdded mewn munud pe byddai ar ei draed. Wrth basio ambell gorff daeth yn ymwybodol mai llithro drwy waed y milwr marw yr oedden nhw. Bob tro roedd yn rhaid iddo aros am seibiant byddai'n gwrando am y rhuglo ar ei gefn ac yn canfod ei hun yn falch o glywed y sibrwd erchyll cyson.

Wedi bron i ddwy awr o ddringo'r llethr yn boenus o araf, roedd hi'n nos, a'r goedwig yn amlinell bygddu yn erbyn yr awyr dywyll. Nid oedd Huw yn gallu teimlo'i fysedd mwyach ac roedd ei lygaid yn curo yn ei ben fel pe baent am ddianc oddi yno. Roedd ei geg yn sych fel popty. Sylwodd ar ddynion yn gwibio i mewn ac allan o ddüwch y goedwig. Nid oedd unrhyw sŵn erbyn hyn heblaw am ergydiad achlysurol rhyw ddryll yma ac acw.

Cododd Huw ar ei beneliniau, yr ymdrech bron yn ddigon i wneud amdano, a'i gefn yn gwingo mewn poen. 'Me- ...' meddai, ei lais yn diflannu yng nghanol y gair. Poerodd ar y gwair budur o'i flaen, doedd dim yno ond ei anadl poeth. 'Medic,' crawciodd, cyn bloeddio eto'n gliriach, 'Medic!'

'Who's there?' holodd llais o'r düwch o'i flaen.

'Medic!' gwaeddodd Huw.

'Keep your gob shut, matey,' meddai'r un llais wrth agosáu. 'We've got your bearings.'

Teimlodd Huw ddwylo'n cydio ym monau ei freichiau ac yn ei lusgo i fyny'r llethr. 'Bloomin' Nora, what you got on your back?'

'Cut his legs loose,' meddai Huw wrth iddynt gyrraedd ymyl y goedwig ac wynebau eu dau achubwr i'w gweld yng ngolau pitw'r lamp olew fechan ar y llawr.

'What?'

'On my back, cut his legs loose so that I can carry him.'

'You're done, matey. We'll take him from here.'

Syllodd Huw ar y dyn, ei lygaid yn goch fel gwaed.

'Jesus, cut him loose Fred,' meddai'r milwr ac estynnodd Huw am ei botel ddŵr. 'Where'd you come from then?'

Torrodd Fred y rhwymau o gwmpas coesau Cledwyn. 'And his arms,' meddai Huw cyn ateb y cwestiwn. 'From about half way.'

'Half way to hell by the looks of it,' meddai'r milwr, yn helpu'i ffrind i ryddhau breichiau Cledwyn o ochrau'i gorff.

'No, just some woods,' meddai Huw. 'Just like this one.' Cymerodd bwysau breichiau Cledwyn wrth iddynt gael eu rhyddhau, ac wrth i Huw godi i sefyll gosododd hwy dros ei ysgwyddau. 'Give me his legs,' gorchmynnodd wedyn.

'There's a way to go yet, Private. Are you sure?'

Nid atebodd Huw a derbyniodd holl bwysau Cledwyn wrth i'w goesau gael eu codi i'w freichiau mwdlyd. Roedd coesau Huw yn teimlo'n estron iddo ond trwy nerth ei ewyllys cymerodd hanner cam ymlaen a phoen main, fel nodwydd, yn meddiannu'i ben-glin. Gwasgodd ei ddannedd yn dynn at ei gilydd, a'r adrenalin yn ei waed yn chwilfriwio'r gwewyr. Cymerodd gam arall, ac yna un arall, ac ymlaen, ymlaen. Disgynnai'r mwd yn dalpiau stecslyd oddi ar ei gorff. Roedd pen Cledwyn yn taro yn erbyn ei glust chwith yn damp ac yn llipa wrth i Huw anelu am y golau oren a welai drwy'r coed. Roedd yn ddiolchgar bod rhywrai wedi bod yn clirio llwybr cerdded rywdro ers iddo fentro'r ffordd hon ynghynt yn y dydd.

Brysiodd Huw tuag at un o'r llwybrau cul dan lachiau'r weiren bigog ac anelu am oleuni'r agoriad yn yr amddiffynfeydd. 'Medical Officer,' bloeddiodd wrth gamu rhwng y waliau trwchus. Roedd dwsin neu fwy o filwyr yn pwyso neu'n eistedd yn erbyn y wal yn syllu'n gegagored ar Huw a Cledwyn. 'Aid post? Rhywun? Medic?' meddai Huw, yn edrych ar wynebau syn, difynegiant ei gyd-filwyr.

'Be ar wyneb y ddaear sy 'di digwydd i chdi?' meddai un milwr yn camu oddi ar y wal ac yn rhoi'i fraich o gwmpas Cledwyn ar gefn Huw. Teimlodd Huw y baich yn codi fymryn.

'Lle ma'r aid post?' gofynnodd Huw.

''Nôl yn White Trench,' atebodd y milwr. 'Ond waeth i chdi heb.'

'Diolch,' meddai Huw a cherdded trwy'r twnnel byr ac i mewn i'r tir agored, llydan. Yma roedd dwsinau'n chwaneg o filwyr, cannoedd efallai, yn eistedd neu'n gorwedd bob sut. Brysiodd Huw i lawr y clip ac i mewn i un o'r ffosydd. 'Medical Officer?' gwaeddodd, wrth fynd heibio'r dynion wedi'u casglu mewn clystyrau achlysurol. Edrychodd ar eu hwynebau cythryblus a lluddedig yn edrych arno'n ddidaro, rhai â sigaréts yn hongian yn llipa yn eu cegau. 'Aid post?'

'Down the back, mate,' meddai un ohonynt wrtho heb frwdfrydedd.

Cerddodd ymlaen a gorfod disgyn yn erbyn y waliau weithiau wrth faglu ar y llawr ystyllod anwastad. Teimlai'r egni'n graddol ddiflannu o'i goesau, ei bengliniau'n protestio'n llawn gwewyr. Gwyddai na allai stopio am ysbaid gan na fuasai'n gallu ailgychwyn drachefn. 'Chwith, dde, chwith, dde,' dechreuodd ddweud wrtho'i hun a'i chwys yn gymysg gyda'r mwd yn diferu'n frathog i'w lygaid. Ni allai fagu'r egni i holi'r ffordd erbyn hyn a theimlai'i ben yn mynd yn drwm ar ei ysgwyddau.

'Jesus Christ,' meddai rhywun yn cydio yn ei freichiau. 'Evans? Chdi 'di o?'

Teimlodd Huw ei holl egni, ei fodolaeth, yn crynhoi fel niwl trwchus yn ei lygaid caeedig. Ceisiodd ddefnyddio'r egni hwnnw i'w hagor a thrwy'r holltau lleiaf gwelodd wyneb pryderus Is-Lefftenant Morgan yn syllu arno. Caeodd ei lygaid a theimlo niwl trwchus yn gorlifo trwy'i gorff. Diflannodd Huw i ddiddymdra.

*

Gwelai Huw olau oren trwy amrannau ysmiciog ei lygaid cau. Clywai dwrw'r gynnau mawr yn y pellter cyfagos. Teimlai'i dafod yn dew fel llyffant yn ei geg sych. Symudodd ei fysedd gan sgriffian pren, fflat a sych, gyda'i ewinedd. Roedd drewdod egr ïodin yn gymysg ag oglau cleiog y ffosydd yn ei ffroenau. Daeth yn ymwybodol ei fod yn gorwedd ar ei gefn a cheisiodd godi ar ei beneliniau. Nid oedd unrhyw ran o'i gorff nad oedd yn protestio mewn poen ar yr ymdrech. Penderfynodd agor ei lygaid yn hytrach a gweld cymylau llwydlas gwlanog yn brysio ar hyd cynfas tywyll y nos, a'r sêr yn dyllau pinnau bach llachar tu hwnt.

Cododd ei ddwylo a theimlo'i gorff. Nid oedd yn gwisgo'i diwnig mwyach ond roedd yn gallu teimlo'i fresys a'i grys oddi tano. Teimlodd y llaid yn ddarnau caled, sych, wedi glynu'n styfnig yn ei drowsus. Ceisiodd blygu'i goesau ond roedd ei bengliniau fel pe baent wedi'u sodro'n syth ac yn plycio'n boenus.

Symudodd ei ben yn araf i'r chwith a gweld waliau ffos ac yna rhes hir o filwyr yn gorwedd ar fyrddau pren. Nid oedd neb yn sefyll ac nid oedd neb yn symud. Trodd i'r dde a gweld mwy o filwyr yn gorwedd yn llonydd ar fyrddau. Roedd y ffos yn llydan ac ambell i lamp yn rhoi ychydig o olau gwantan i'r olygfa.

Daeth yr atgofion yn ôl iddo mewn un gorlif diarbed. Y frwydr, Cledwyn, Sarjant Ellis a'r siwrna 'nôl i'r ffosydd. Cafodd yr egni o rywle i rowlio ar ei ochr gan wthio'i goesau oddi ar y bordyn pren. Gwasgodd ei ddannedd yn erbyn y boen wrth i'w bengliniau blygu ac yna taro'r llawr. Prin droedfedd oddi ar y llawr styllod pren oedd y bordyn y gorweddai arno. Bu bron iddo lewygu mewn poen ond llwyddodd i gydio yn ei wely cyn troi i eistedd i fyny arno. Edrychodd ar ei goesau allan yn syth o'i flaen a chyda'i holl ewyllys a'i egni cydiodd o dan ei bengliniau a'u plygu. Daeth dagrau i'w lygaid gan fod y boen mor echrydus a chrynodd ei holl gorff. Llyncodd yr ychydig boer oedd ganddo – blas haearn – a'i deimlo'n lwmp styfnig yng nghefn ei wddf.

Edrychodd ar y llawr a gweld ei diwnig, ei wregys a'i strapiau'n bentwr blêr wrth droed y gwely. Cydiodd yn llawes y diwnig, oedd yn galed gyda'r mwd a gwaed sych, llusgodd y bwndel yn nes. Sylwodd fod y diwnig wedi'i rhwygo'n ddarnau a bod y strapiau hefyd wedi hollti drwyddynt. Edrychodd ar y dynion yn gorwedd ar eu gwlâu anghyfforddus o fyrddau pren a sylwi nad oeddynt yn malio dim gan eu bod wedi marw. Edrychodd dros ei ysgwydd a gweld nad oedd unrhyw symudiadau ymysg gweddill y cwmni chwaith.

Yna gwelodd gorff â'i ben ynghudd dan orchudd tywyll. Gwyddai'n syth mai Cledwyn oedd yno, rhyw bedwar corff oddi wrtho. Edrychodd i ffwrdd yn syth.

Edrychodd i lawr ar ei ddwylo'n crynu'n afreolus cyn cydio yn ei bengliniau a'u gwasgu'n ddidrugaredd gan yrru poen fel mellten trwy'i goesau ac i fyny'i gorff bregus. Eisteddodd yno, wedyn, am amser hir yn gwrando ar y rhyfel yn mynd rhagddo.

Cymerodd Huw Evans anadl hyd llenwi'i ysgyfaint a dechrau chwilota'n araf trwy'r dilledyn rhacs rhwng ei draed. Daeth o hyd i'w gyllell frown golau, ei llafn wedi'i guddio yn ei charn pren. Cododd ar ei draed gan anwybyddu'r boen ofnadwy a llusgo'i draed ar hyd y styllod nes cyrraedd y bordyn pren lle gorweddai corff Cledwyn Roberts. Eisteddodd ar y gwely ar y dde gan wthio'i gefn yn erbyn y milwr marw a orweddai yno.

Nid oedd neb wedi agor y rhwymau oedd o gwmpas pen Cledwyn. Roedd coler borffor ei diwnig wedi'i hagor a'i fotymau ar led hyd waelod ei frest. Agorodd Huw ei gyllell ac edrych ar y geiriau ar ei llafn arian dilychwin. OPINEL ac yna oddi tano FRANCE.

Cydiodd yn llaw dde Cledwyn a gweld ei ddagrau yn syrthio ar lawes ei grys, heb wybod ei fod yn wylo. Teimlodd y fodrwy yn dynn ar fys Cledwyn, y sêl wedi'i throi tua'i gledr. Cymerodd y gyllell a phwyso'i blaen miniog rhwng cymal ei figwrn a'i fys. Torrodd ei fys yn rhydd o'i law, a gwaed Cledwyn yn sgleiniog lonydd ac yn dew ar ei figwrn.

Llwyddodd gydag ymdrech i droi'r fodrwy a'i thynnu oddi ar ei fys datgymalog. Rhoddodd y bys ym mhoced trowsus Cledwyn.

Rhoddodd Huw'r fodrwy, y sêl wedi'i throi tuag at gledr ei law, ar ei fys bach gan godi a dweud, 'Ffarwél.'

2

Croeso Anweledig Bethau

I

ARLLIWIAU O DDU yn llonydd o'u blaenau, ac ambell fflach yn yr awyr wrth i un o'r bomiau achlysurol lanio'n agos i'w ffos. 'Wy'n cofio cyrredd gytre un nosweth, a heb air o gelwy', ro'dd dyn mas y bac yn wadlo fel hwyaden a'i drowser ambiti'i bigyrne fe. Wel, o'dd rhaid i fi wherthin cyn i fi golli'n natur, ti'n deall?'

Chwarddodd y milwr o'r tu ôl iddo yn y tywyllwch.

'Ddales i e yn y iard wedyn, ta beth. Saces i 'i ddannedd e lawr ei gorn gwddwg, bastard brwnt ag e. Erbyn i fi gwpla 'dag e, ro'dd hi wedi'i baglu 'ddi. Rhag iddi hithe ga'l yr un drinieth siŵr o fod. Damo hi!'

'Golles i hanner 'yn glust pan dda'th y seam lawr yn y Maesteg Patch yn o eight. Sylwes i ddim nes bo' fi yn y bàth cwpwl o orie wedyn,' meddai'r chwarddwr o'r cefn.

Tagodd y milwr o'u blaenau, rywle yn y gwyll a'r milwyr wedi'u gosod ar wahân ers iddynt gipio'r rhan yma o Quadrangle Trench. Roedd efallai ddwsin o filwyr wedyn, ymlaen, yn gwarchod cornel olaf y ffos hir yr oeddynt newydd ei chipio oddi wrth y gelyn.

'Beth amdanat ti, Pritch, unrhyw gwd storis 'da ti?' Roedd yr hogiau yn gallu hanner clywed yr Almaenwyr yn sgwrsio o'u hochr nhw i'r ffos ac yn gwybod nad oedd ymosodiad yn debygol, am gyfnod o leiaf. Nid oeddynt yn cael ysmygu ac o'r herwydd roedd eu nerfau'n eithaf brau.

'Ges i 'nghuro'n ddu a phiws unwaith,' meddai llais di-gorff a lleddf o'r düwch o'u blaenau. 'Pan 'nes i ddeffro roedd gynna i farf ac roeddwn i'n bell o adref mewn gwlad ddiarth.'

*

Adar.

Gwylanod yn gwawchian 'mysg ei gilydd.

Pren yn crecian a chadwyni'n canu'n ddedwydd. Oglau sur hen bysgod marw yn ymosod ar ei ffroenau, yn ei ddeffro.

Agor llygaid.

Ystafell fechan. Hen bren tafod a rhigol brown tywyll ar hyd y waliau ac ar draws y nenfwd. Golau dydd yn belydryn trwchus llachar trwy'r ffenest fach gron ar y wal wrth ei draed noeth – yn rhy lachar, a'i ben yn curo'n boenus yng nghefn ei lygaid.

Caeodd Ephraim ei lygaid gan ryw gofio deffro sawl gwaith ynghynt yn yr un ystafell, yn tagu wrth i ddynion diarth orfodi rhyw fwydyn poeth a gwlyb i lawr ei wddf. Ar adeg arall – yn llai na hanner effro'r tro hwn – cael ei olchi â chadachau cynnes, ei freichiau a'i goesau'n wan a llipa fel ebol newydd-anedig. Cofiodd yr hunllefau di-ben-draw, a'i feddwl yn boddi mewn cawl o'i ddychymyg ei hun – atgofion, rhagargoelion a lledrith dieflig – popeth ar draws ei gilydd, dim byd yn ymddangos yn iawn iddo, ac eto popeth yn gwneud synnwyr perffaith.

Y tro hwn roedd ei ben yn glir. Tynnodd flanced wlanog lwyd oddi ar ei gorff. Ni wisgai ddim ond ei lodrau isaf, ac roeddent yn rhyfeddol o fudur. Rhoddodd ei law dros ei geg gan syllu ar y staeniau cyn ei thynnu oddi yno yn sydyn mewn braw.

Roedd ganddo locsyn!

Rhoddodd ei law ar ei ben yn betrusgar a theimlo'i wallt yn dalpiau seimllyd wedi'u glynu at ei gilydd. Cododd ar ei eistedd a throi ei draed dros ymyl y gwely. Safodd yn ei unfan am rai eiliadau yn teimlo ychydig yn chwil a syllodd ar ei draed ar y llawr oer. Sylwodd ar y cylchoedd melyn ac oren ar ei goesau ac wrth edrych yn uwch sylwi arnynt dros ei gorff hefyd. Hen gleisiau. Rhoddodd ei fysedd arnynt a theimlo'r boen fel rhyw atgof pell.

Edrychodd o'i gwmpas.

Bwced yn y gornel, gwely gyferbyn ac un arall uwch ei ben. Trodd a sylwi mai gwaelod gwely oedd yr hyn yr oedd wedi'i ystyried yn nenfwd ar yr olwg gyntaf. Er fe sylwodd fod y nenfwd ei hun wedi'i wneud o'r un pren tywyll yn ogystal. Llyncodd y mymryn poer oedd yn ei geg gan deimlo'i hynt ar ei ffordd i lawr trwy ei gorff fel pe bai'n belen o wlân. Edrychodd ar ei ddwylo a sylwi fod ei ewinedd wedi tyfu'n stribedau bach gwyn heibio blaen ei fysedd; cyn hired ag yr oedd o'n cofio'u gweld erioed.

Daeth fflach o'r ffrwgwd ar y cei llechi i'w feddwl. Cofiai gydio yn y llechen hirsgwar a'i thaflu i mewn i'r sgwâr. Yr ias oer i lawr ei gefn wedyn a dyn yn ielpian yn bathetig wrth i dwrw chwib y llechen ddarfod. Popeth yn digwydd mewn chwinciad wedyn, ac yntau yn yr atgof olaf yn gorwedd yn belen ar y llawr wrth i'r dyrnau a'r esgidiau trymion fwrw'n gawod arno.

Lle ddiawl ydw i? meddyliodd.

Lle ma Huw?

A lle dwi 'di bod?

Ysgydwodd ei ben a chrafu'i locsyn newydd. Ti'm yn mynd i gael atebion yn eistedd ar dy ben ôl yn fama.

Cododd ar ei draed, ei gymalau llidiog yn cwyno'n boenus wrth dderbyn ei bwysau. Teimlai'r llawr yn symud ychydig dan ei draed a gwyddai i sicrwydd ei fod ar fwrdd llong.

Llong wedi'i hangori.

Mewn porthladd, siŵr o fod. Porthmadog, efallai? Gwelodd focsys pren o dan y gwely gyferbyn a throdd i weld rhai tebyg dan ei wely yntau. Llusgodd un ohonynt allan, nid oedd yn drwm. Nid oedd caead ar y bocs ac ynddo roedd ei drowsus a'i siaced las dywyll. Gorweddai'i watsh boced a'i chadwyn aur ar ei ddillad. Cydiodd ynddi a'i chodi at ei glust, heb ei hagor.

Dim twrw tician.

Tynnodd ei drowsus amdano a chau'i wregys lledr ddau dwll ymhellach na'r arfer cyn llusgo ail focs allan gyda'i droed noeth. Rhwbiodd y croen gŵydd oddi ar ei freichiau gan rynnu am eiliad wrth edrych ar ei esgidiau, ei grys a'r sach ddillad newydd a brynodd yn y Siop Fawr ym Mhorthmadog.

Sut ddiawl ma hwnna 'di cyrradd fama?

Rhoddodd y crys amdano gan sylwi ar y smotiau tywyll o gwmpas y goler; dyma'r crys roedd yn ei wisgo pan gafodd gweir. Roedd y dilledyn yn hongian yn llac arno gan iddo golli cymaint o bwysau. Rhoddodd ei sach ar ben y gwely cyn gwagio'i chynnwys ar y gwely'n frysiog; cap chwarel, crys a throwsus gwaith, gwasgod, tei a dau bâr o sanau wedi'u rholio'n beli duon.

Lle ma 'mhres i? Diawliad!

Cododd ei siaced allan o'r bocs cyntaf gan deimlo pwysau yn ei hystlys yn tawelu'i feddwl ychydig. Aeth i'r boced fewnol ac estyn y pwrs bach lledr, agorodd y cliciad arian ac edrych ar y pres y tu fewn.

Rhwbath tebyg i be dwi'n gofio.

Tynnodd un o'r bocsys allan o dan y gwely gyferbyn gan fyseddu trwy'r dillad diarth, drewllyd. Teimlodd ddolen bren ar waelod y bocs a gweld mai cyllell ffiledu pysgod fain, siabas o rydlyd, oedd wedi'i rhoi heibio yno rywdro. Roedd ei blaen yn finiog o hyd ond nid oedd unrhyw awch i'w llafn hir, tenau.

Gwell na dim byd.

Rhoddodd y gyllell yn ei wregys a gwisgodd y wasgod a'r siaced, ei phwysau'n teimlo fel pe bai rhywun yn eistedd ar ei ysgwyddau. Gwthiodd ei watsh i mewn i un o'r peli sanau gan wisgo'r pâr arall a gosod y cap am ei ben cyn ail-lenwi'r sach a thynnu'r cortyn yn dynn. Gwisgodd ei esgidiau, yn gychod trymion am ei draed esgyrnog, cyn lluchio'r sach ar ei ysgwydd. Teimlodd y gwynt yn rhuglo'n ddwfn yn ei frest wrth anadlu. Cerddodd yr ychydig gamau tuag at y drws caeedig a'i goesau'n sigledig o wan. Rhoddodd ei law ar y ddolen a'i throi yn araf hyd nes iddo glywed clic soled; agorodd y drws fymryn tuag ato. Cydiodd ei law arall yng ngharn y gyllell a theimlai gynnwrf yn egnïo'i gorff eiddil.

Allan â chdi Ephraim!

Tynnodd y drws ar agor a gweld coridor gwag, hir a chul o'i flaen, wedi'i oleuo rywfaint gan lamp olew yn siglo'n ysgafn o'r nenfwd pren. Dôi'r rhan fwyaf o'r golau o ben draw'r coridor, golau dydd llachar. Cerddodd yn simsan i lawr y coridor gan bwyso ar y wal o bryd i'w gilydd, ei law chwith yn cydio yng nghortyn ei sach a'i law dde yn cydio yn llafn y gyllell rydlyd yn ei wregys. Pasiodd ddrysau ar y dde a'r chwith iddo a gwasgu'i lygaid yn dynnach gyda phob cam yn erbyn y golau dynesol. Daeth at ben y coridor, sgrechiadau'r gwylanod a'r golau dydd yn bwydo'r cur ac yn dychlamu yn ei ben. Roedd y coridor byr yn gartref i'r grisiau cul a serth i fyny i'r agoriad oedd yn llawn golau'r awyr lwydlas lachar tu hwnt.

Safodd yno'n cysidro'i sefyllfa, ei galon i'w chlywed yn ei glustiau a'i theimlo yn ei frest yn curo'n gyflym. Nid oedd yn gallu clywed unrhyw leisiau uwchben. Cydiodd yn y reilen haearn, denau, a rhoi'i droed ar y ris gyntaf. Dringodd, pob cam yn sugno'i egni a'i esgidiau'n teimlo fel cerrig am ei draed. Roedd ei gur fel pinnau poeth tu ôl i'w lygaid a'r rheiny wedi'u gwasgu'n holltau main. Cododd ei ben allan o focs pren yr agorfa uwchlaw bwrdd y llong ac edrych o'i gwmpas mor gyflym ag yr oedd ei loesyctod yn caniatáu iddo'i wneud. Yn syth o'i flaen roedd hwylbren drwchus, ei hwyliau wedi'u cadw a'u clymu'n dynn â rhaffau tewion. Trodd a gweld dwy hwylbren debyg, a thrionglau o raffau dringo di-rif yn codi arnynt o ochrau'r sgwner i'r entrychion. Nid oedd neb o gwmpas. Tynnodd ei hun allan o'r bocs a chamu ar fwrdd y llong. Sylwodd fod y sgwner wedi'i docio a bod llawr cerrig y doc gyferbyn ag ymyl uchaf ochrau'r sgwner.

Diolch i Dduw nad oedd o'n gorfod dringo ymhellach, meddyliodd mewn rhyddhad. Llusgodd ei draed tuag at ymyl dde'r sgwner gan lygadu'r styllen hir a gysylltai'r llong â'r doc heb fod yn bell i'r chwith.

'Hei!' gwaeddodd rhywun o ben draw'r sgwner gan roi dychryn y diawl iddo. Gwelodd ddyn bach tew yn cydio mewn bwced fawr, hanner ei faint, golwg syn ar ei wep, a'i gap morwr nefi blw ar ogwydd doniol. 'Be ti'n neud?'

Rywle yng nghefn ei feddwl roedd Ephraim Pritchard yn adnabod y dyn bach, doniol yr olwg. O'i freuddwydion efallai, neu o'i hunllefau. Tynnodd y gyllell allan o'i wregys gan edrych o'i gwmpas am unrhyw gyd-forwyr ond nid oedd neb arall yno. Gollyngodd y morwr ei fwced a dechrau brasgamu tuag ato.

Paid â dod dim nes! Er iddo yngan y geiriau ni ddaeth eu sain o'i geg sych. Chwifiodd y gyllell yn ddramatig o'i flaen, y morwr hanner ffordd i lawr bwrdd y sgwner, a chyhyrau'i asennau'n protestio'u anhwylder.

'Aros funud, gyfaill.' Daeth y morwr i stop, roedd ei ddwylo allan ar led o'i flaen. 'Pwyll pia hi.'

Tagodd Ephraim, daeth dagrau i'w lygaid, yna dywedodd mewn llais cryg. 'Cadw draw.'

'Fydd y Capten ddim yn hapus, gyfaill. Ti ddim yn edrych yn hanner da,' meddai'r morwr a rhoddodd ei ddwylo i lawr a chymeryd cam yn ôl.

Llusgodd Ephraim ei draed trwm wysg eu hochr tuag at y styllen gyswllt a chydio yn un o'r rhaffau.

Rhoddodd y morwr ei law ar ei foch borffor, ei ysgwyddau crwn yn codi wrth iddo ochneidio'n rhodresgar. 'Ti ddim yn mynd i bara'n hir, wyddost ti?'

Dringodd Ephraim i fyny ar y styllen gan aros yno'n cael ei falans ac yn syllu ar y morwr. Roedd llaw hwnnw wedi mudo i rwbio llabed ei glust a'i draed wedi'u sodro i fwrdd y llong.

'Ar dy ffordd 'ta, gyfaill,' meddai'r morwr wedyn gan godi'i law a throi'i gefn ar Ephraim. 'Welais i monach chdi, cofia hynna.' Cerddodd yn ôl tuag at ei fwced a brysiodd Ephraim ar hyd y styllen ac oddi ar y sgwner.

II

O ben arall y ffos, lle'r arhosai Ephraim i'r frwydr ddod tuag ato, roedd twrw'r drylliau a'r reifflau'n tanio'n swnio'n arallfydol. Munud ers i'r gwrthymosodiad ddechrau a'r sarjant wedi bloeddio *stand your ground, stand your ground* yn eu clustiau, a brasgamu heibio iddynt gyda'i bistol Webley efydd yn ei law ar ei ffordd i flaen y gad. Roedd pob ergyd fel braw bychan ym mron Ephraim. Y distawrwydd cymharol o'u cwmpas yn gyferbyniad erchyll i dryblith angheuol y sgarmes o'u blaenau. Bloeddio. Arfau'n tanio. Sgrechfeydd. Y twrw'n dod un ar ôl y llall ond pob un yn ddigamsyniol. Ffrwst y roced oleuo a'i golau coch wedyn wrth i'r sarjant danio'i bistol. Chwaneg o'r twrw erchyll ac Ephraim fel pe bai'n breuddwydio'r cyfan gyda phob ergydiad, heblaw fod y braw yn ei frest.

'Diawch, ma'r bois yn ca'l 'u clatsho,' meddai Emyr Jones, ei lais yn crynu fel pe bai'n canu, y tu cefn i Ephraim.

Roedd Ephraim yn gallu gweld dau filwr o'i flaen yng ngolau coch y roced am y tro cyntaf ers iddynt gyrraedd eu safle wedi'r frwydr i ennill ffos Quadrangle ynghynt y noswaith honno. Nid oeddynt wedi bod yn rhan o'r frwydr honno, ond yn hytrach wedi cyrraedd yno'n filwyr wrth gefn.

Daeth y frwydr i ben mewn llai na hanner awr ac wrth iddynt gyrraedd eu safle ar y llinell flaen cariwyd tocyn o filwyr 'nôl tua'r cefn, naill ai wedi'u hanafu neu'n farw. Nawr ymddangosodd y sarjant ar y gornel yn chwifio'i helmed, ei ben moel yn sgleinio yn y golau coch, yn annog yr hogia ymlaen.

'Give them hell, boys,' meddai'r sarjant wrth y ddau filwr o flaen Ephraim wrth iddynt symud ymlaen tuag ato. 'Stinkin', ugly Boche!' Gyda hyn, fel roedd Ephraim yn mynd heibio, dyma'r sarjant yn syrthio ar ei bengliniau yn y mwd. Gwelodd Ephraim y staen piws yn ymledu o dan ysgwydd y sarjant ar ei siaced yn y golau coch. Rhoddodd ei law ar ei ysgwydd a'i wthio 'nôl yn ysgafn yn erbyn wal y ffos. Edrychodd ar wyneb marw'r sarjant, ei lygad dde wedi crwydro tuag at ei drwyn a'i lygad chwith yn syllu'n syth drwy Ephraim. Rhyddhaodd y pistol Webley o'i fysedd celain, ei faril efydd yn sgleinio'n euraidd hyd yn oed yn y gwyll, ac agor ei berfedd. Roedd y sarjant eisoes wedi'i ail-lwytho. Caeodd Ephraim y pistol a'i stwffio i felt ei diwnig.

'Diawch!' meddai Emyr Jones o'r tu ôl iddo. 'Ma'r tipyn rhyfel 'ma wedi dala lan 'da ni o'r diwedd.'

Edrychodd Ephraim i wyneb Emyr, ei lygaid yn llenwi â dagrau o dan ymyl ei helmed ddur. 'Ni'n lladd Fritz, neu ma Fritz yn neud amdanan ni, fel y sarjant yn fama.' Cododd ei reiffl a phwyntio'i fidog i lawr y ffos. 'Malwch nhw, bois!' Aeth Ephraim ymlaen wrth i'r golau coch fethu a'r ffos yn dychwelyd i dywyllwch llwyr canol nos.

*

Syrthiodd Ephraim oddi ar styllen y sgwner a baglu ar goblau'r cei, y sach yn hedfan oddi ar ei ysgwydd ac yn clustogi blaen ei fraich. Rowliodd i orwedd ar ei gefn wedyn. Cododd i bwyso ar ei beneliniau, ei gap wedi suddo i lawr ei dalcen a'i ddallu'n llwyr. Cipiodd y cap oddi ar ei ben a gweld cyrn oren, anferth heibio i hwylbrennau'r sgwner. Edrychai'r llong fel tegan o flaen yr adeiladau diwydiannol wrth ei chefn. Cododd ar ei draed yn araf gan syllu'n gegagored ar y ffatrïoedd yn rhesi gyda glan bella'r afon lydan. Roedd dwsin neu fwy o'r cyrn hir yn mygu ar ongl ffyrnig yn y gwynt cryf. Cyfrodd ddeg llawr ar y ffatri agosaf, cannoedd o ffenestri'n dringo tua'r awyr, y naill uwchben y llall. Gwelodd long bysgota, cymharol fechan, drws nesaf i'r sgwner a gwaddodion ei dalfa'n drewi yn ei ffroenau ar yr un gwynt. Trodd a gweld adeiladau cymharol ddi-nod y cei, yn dawel ac yn dywyll yng nghysgod yr haul.

'Migla hi,' gwaeddodd y morwr wrth bwyso dros ymyl y sgwner, ei lais yn gryg wrth iddo ddynwared sibrwd y geiriau. Pwyntiodd i lawr y cei hir. 'Ma'r 'ogia'n dychwelyd.'

Gwelodd Ephraim hanner dwsin o ddynion yn ymlwybro tuag atynt yn yr heulwen ar ymyl cysgod yr adeiladau. Roeddent yn cario trugareddau trwm yr olwg. Nid oedd neb arall i'w weld o un pen y cei i'r llall, heblaw am ddwy ddynes nobl yn datod rhwydi ar bwys y cwch pysgota, eu hwynebau rhychiog tywyll wedi gweld gormod o haul. Cododd ar ei draed a phlygu'i ben wrth dynnu'i gap yn isel dros ei dalcen. Cerddodd yn hamddenol i mewn i'r cysgod toreithiog gan anwybyddu'r boen yn ei gymalau, yna cyflymu'i gam gan hercian tuag at ddrysau dwbwl agored yr adeilad glan cei agosaf.

Gwyddai nad oeddent wedi sylwi arno'n ffoi gan ei fod yn gallu clywed lleisiau'r criw yn chwerthin a sgwrsio ymysg ei gilydd, ac yntau'n cuddio yn yr adwy ddu wrth iddynt basio. Edrychodd o'i gwmpas yn gyflym a gweld mai storfa lo fawr oedd yr adeilad yr aeth i mewn iddo, ac roedd yn dywyll fel perfedd buwch. Penderfynodd ddisgwyl nes bod y morwyr yn dringo yn ôl i'r sgwner cyn mentro allan o'r storfa. Edrychodd eto ar y ffatrïoedd ar draws yr afon cyn gadael i'w olwg grwydro yn erbyn llif yr afon i aros ar bont ryfeddol yn hanner croesi'r afon o'r ddwy lan. Safai pedwar tŵr mewn sgwâr yng nghanol y bont yn gwarchod pont fewnol a'i dwy ran wedi'u codi'n llydan agored, edrychent fel tyrau castell gyda thoeau crwn o liw oren tywyll. Daeth llong ddur fawr drwy'r agoriad a'i dau gorn yn mygu'n wyn. Nid oedd Ephraim wedi gweld llong mor fawr nad oedd yn cario mastiau hwylio i'w symud. Sylodd arni am amser wedi'i fesmereiddio gan ei hynt, llyfn a chyflym. Edrychodd i lawr gyda'r llif a gweld adeiladau dinesig ar y ddwy lan, a'r afon lydan yn troi tua'r dde i ffwrdd o'i olwg. Ni welai unrhyw fynyddoedd ar y gorwel, dim ond cynfas eang yr awyr lwydlas. Clywodd draed y morwyr ar y styllen a arweiniai at fwrdd y llong a chymerodd ei gyfle i ddianc o'r storfa drwy ddilyn llif yr afon i'r ochr chwith gan gadw i'r cysgodion. Teimlodd y chwys yn tasgu i lawr ymylon ei fochau, ei gorff eiddil yn rhynnu ag oerfel er ei fod yn gwybod yn iawn nad oedd hi'n oer o gwbl. Cadwodd ei lygaid ar ei draed rhag iddo faglu ar y llawr anwastad a phan edrychai i fyny cymerai ychydig eiliadau i'r hyn oedd o'i amgylch ddod yn eglur iddo. Synhwyrodd fod ei egni'n prysur ddiflannu ond teimlai yn ei ddryswch bod yn rhaid iddo ymbellhau o'r sgwner gymaint ag y gallai.

Clywodd leisiau, cododd ei ben a chanfod ei hun ar gornel y cei a'r afon yn troi i'r dde. Wrth ymgynefino gwelodd y cei yn ymestyn o'i flaen ond erbyn hyn roedd yn llawn bywyd a bwrlwm, a chychod a llongau di-rif ar y ddwy lan. Ni welai un man gwag lle gallai llong lanio a'r afon yn gwyro eto i'r chwith ryw hanner milltir i lawr y cei. Herciodd yn frysiog tuag at y bobl oedd yn brysur wrth eu gwaith yn llwytho, dadlwytho ac yn trafod busnes ar y cei llydan. Er iddo aros i wrando am ychydig ni allai ddeall yr un o'r sgyrsiau o'i gwmpas. Cysidrodd efallai ei fod yn Llundain a bod yr acenion Seisnig yn rhy ddiarth iddo'u deall. Roedd ei feddwl yn gawl niwlog. Brysiodd ar hyd y cei a chadw'i ben i lawr. Ymhen ychydig cyrhaeddodd sgwâr prydferth gyda ffynnon farmor fawr o flodau tlws ar ddarn o laswellt trwsiadus, prydferth. I'r chwith roedd bwlch eang rhwng adeiladau'r cei yn agoriad i'r ddinas gydag adeiladau aml-lawr bob yn ochr i'r rhodfa goed syth. Syllodd Ephraim arno am eiliad hir cyn i bryfyn hedfan i'w geg a'i ddeffro o'i syndod. Poerodd y pryfyn i'w law a sylwodd hefyd fod ychydig o'i waed yn gymysg â'r poer. Gwyddai ei bod yn flaenoriaeth iddo ddarganfod lloches er mwyn iddo gael gorffwys. Herciodd i fyny'r allt ysgafn nes cyrraedd cychwyn y rhodfa. Sylwodd ar ddyn yn pwyso ar blinth o garreg yn ei ymyl ac yna o nunlle ymddangosodd ffrwd o ddŵr er mwyn i'r dyn gael llymeidio. Arhosodd i'r dyn ddarfod, ei dafod yn teimlo'n sych ac estron fel petasai broga'n cysgu yn ei geg. Camodd at y plinth ac edrych ar y bibell efydd yn plygu amdano o'i ochr. Pwysodd ei ben tuag ato. Dim. Edrychodd ar y bibell am ychydig cyn rhoi ei fys yn y lleithder wrth dwll bychan ar wyneb y plinth, yna'i rwbio ar ei wefus a chig ei ddannedd. Cerddodd i ffwrdd wedi'i siomi. Trodd ymhen ychydig gamau a gweld hogyn bach ar fodiau'i draed yntau'n llyncu hynny a fynnai o ddŵr o'r ffynnon gan afael yn llaw ei fam.

Crwydrodd Ephraim i fyny'r rhodfa gan gadw at gysgod y coed ar ymyl y pafin. Roedd lorïau a cheir yn gyrru i fyny ac i lawr y rhodfa a dim ceffyl i'w weld yn unman. Sylwodd fod y bobl ar y stryd yn gwenu ar ei gilydd wrth fynd heibio, a'r dynion yn cyffwrdd blaenau eu hetiau ac yn nodio'n barchus at y merched. Roedd y rhan fwyaf yn dweud *cześć*, *witam* neu *dzień dobry* wrth ei gilydd, neu dyna fel y swniai i Ephraim, gyda rhai eraill yn sgwrsio yn yr iaith gwbl ddiarth hon.

Er mai dim ond allt ysgafn oedd i'r rhodfa roedd Ephraim yn chwythu fel hen ddyn a daeth i stop gan gydio wrth gefn mainc haearn yn teimlo'n benysgafn a'i law ar ei geg.

'Dobrze się czujesz młody człowieku?' holodd hen ŵr gan droi i edrych fyny arno o'r fainc a phryder yn amlwg ar ei wyneb.

Brwydrodd Ephraim i wenu arno gan godi'i law cyn cario 'mlaen i lawr y pafin. Edrychodd dros ei ysgwydd ar yr hen ŵr a syllai ar ei ôl. Stopiodd ei gerddediad, heb fod yn ymwybodol o'r weithred, fe'i syfrdanwyd yn sydyn gan ei adlewyrchiad yn ffenest fawr y siop ddillad gyferbyn. Nid oedd yn adnabod y sgerbwd cefngrwm a welodd, y cap yn rhy fawr i'w wyneb oedd â bonion locsyn, ei brydwedd yn biglas a hagr. Cododd law arno'i hun, er mwyn cadarnhau mai ef oedd yno. Sythodd ei gefn a thynnodd ei gap a'i stwffio ym mhoced ei drowsus llac. Aeth yn ei flaen gan benderfynu peidio ag edrych yn ffenestri'r siopau.

Gwelodd adeilad anferthol ym mhen draw'r rhodfa gyda chromen fawr ar ben tŵr uchel a oedd ei hun ar ben adeilad sgwâr a swmpus gyda cholofnau Rhufeinig ar hyd ei flaen, eglwys o ryw fath, tybiai Ephraim. Dyma oedd yr adeilad mwyaf o'r dwsinau mawreddog a amlinellai sgwâr enfawr. Roedd un adeilad, cymharol ddirodres, yng nghanol y sgwâr a gweddill y gofod wedi'i lenwi â lleiniau o laswellt taclus, dwy ffynnon debyg i'r un wrth y cei ac un ddelw efydd gawraidd o farchog milwrol yr olwg. Safai'r marchog a'i geffyl mawreddog ar blinth o farmor gwyn. Câi ei warchod gan filwyr efydd, eu cleddyfau wedi'u codi yn barod i'r frwydr anweledig. Cylchid y sgwâr gan ffordd lydan wedi'i hymylu â choed ac arni dramffordd a thram llawn pobl yn prysur fynd o amgylch y parc cyhoeddus helaeth.

Sylwodd Ephraim ar o leiaf hanner dwsin o'r ffynhonnau dŵr yfed wedi'u gwasgaru o gwmpas y lle ac, wedi dysgu'i wers, cymerodd sedd ar wal isel ar bwys yr un agosaf ac arhosodd. Nid oedd raid aros yn hir cyn i rywun ddod am lymaid, dyn tal yn pwyso'n afrosgo a'i law hir yn lapio o amgylch ymyl y plinth. Ac yna ... ymddangosodd y ffrwd hudol!

Arhosodd Ephraim am ychydig hyd nes nad oedd neb yn agos i'r ffynnon cyn codi a sefyll yn yr un safle yn union â'r dyn tal. Rhoddodd ei law ar ymyl y plinth a phwyso'i ben. Dim. Edrychodd ar ochr y ddysgl garreg lle gorffwysai'i law a gweld botwm efydd cudd, wedi'i suddo o'r golwg. Gwasgodd y botwm a chododd y ffrwd arian wyrthiol a glanio'n hanner cylch prydferth yn dwt yn nhwll y basn. Gwenodd Ephraim iddo'i hun fel ynfytyn gan wylio'r lledrith dyfrllyd hwn. Cododd ei fys a phwyso'r botwm eto, codi, pwyso, codi, pwyso a'r dŵr yn ymateb yn unionsyth i'w symudiadau. Rhyfeddol!

Pwysodd i yfed a'r dŵr yn gorlenwi'i geg cyn iddo fedru llyncu. Cododd ei ben a dechrau tagu'n gas, y dŵr yn boenus, fel telchyn rhew yn ei wddf. Teimlodd hynt yr hylif yn suddo'n llawn mor boenus i lawr ei gorff ar hyd ei lwnc i'w stumog. Cafodd hyrddiau o dagu nes bod dagrau yn ei lygaid a llysnafedd gludiog yn hongian o'i ffroenau. Pwysodd yn erbyn y wal isel gan sychu'i drwyn gyda llawes ei fraich. Am y tro cyntaf ers yr ymosodiad, sythodd ei gefn a sylwi ei fod yn teimlo ychydig yn well. Trwy byllau'i ddagrau, sylwodd ar hogyn yn loncian yn sionc tuag ato, gwên fawr ar ei wyneb hir. Gwyddai Ephraim yn syth, rywsut, mai cymeryd mantais oedd ei fwriad.

'Jeszcze chwila i wyplujesz płuca, kolego,' meddai'r hogyn yn ei arddegau hwyr, yn cynnig hances boced aflan yr olwg i Ephraim. Anwybyddodd y cynnig. Rhoddodd yr hogyn gynnig arall arni, 'Nie wyglądasz zbyt dobrze, jeśli mogę zauważyć.'

Syllodd Ephraim arno gan eistedd ar y wal a hel y dagrau o'i lygaid, un ar ôl y llall gyda bysedd ei law dde.

'Sind Sie Deutsch? Und ich spreche Polnisch,' meddai wedyn, yn eistedd wrth ochr Ephraim ac yn cynnig ei law iddo. 'Mein Name ist, Caleb.'

Ochneidiodd Ephraim a symud ychydig ymhellach i lawr y wal heb godi, gan obeithio y buasai'r llanc yn cael y neges ac yn gadael iddo. Nid dyna ddigwyddodd.

Neidiodd yr hogyn ar ei draed yn llawn egni a phwyntio'i ddwy law tuag at Ephraim. 'You English,' cyhoeddodd, fel pe bai wedi'i ysbrydoli mwyaf sydyn. 'Am right? English? Yes?'

Ysgydwodd Ephraim ei ben, ei wyneb yn falch a gwên fach yn ymddangos ar ymylon ei wefusau craciog.

'Irish,' meddai wedyn. 'You understand speaking England. Irish?'

Chwarddodd Ephraim yn dila wrth ysgwyd ei ben eto.

'Holenderski?' cynigiodd yr hogyn, ei wyneb yn dangos ei rwystredigaeth. Ni chafodd ateb ac wyneb Ephraim fel delw yn edrych i fyny arno. 'Szkocki? Scotland,' ceisiodd wedyn a gwep Ephraim yn newid dim. Ysgydwodd Caleb ei ben gan gynnig 'Italienisch?' yn gwbl anobeithiol.

Cymerodd Ephraim dosturi dros ei groesholwr a dweud, ei lais yn gryg fel hen frân, 'Cymro gyfaill, Wales.'

'Walia, Walia. Yes!' meddai Caleb, yn troi ei gorff mewn cylch cyflym ar sawdl ei droed a dyrnu'r tu mewn i'w het big yn ei law chwith. 'Beautiful country.'

Edrychodd Ephraim ar y llanc yn ei ddillad treuliedig a'i hen esgidiau wedi'u rhwbio'n dyllau wrth y bodiau mawr, a gofyn, 'You have been to Wales?'

'Me?' gafaelodd Caleb yn ei fron. 'No, no, no. But I know it very beautiful, very beautiful like my sister.' Crychodd Ephraim ei dalcen a meddai Caleb, 'No, Mister you must see her. Very, very beautiful.' Cwpanodd ei ddwylo i fyny wrth ei fron. 'With big piersi, you know?' Winciodd y llanc arno'n bwrpasol. 'Very, very big.'

'I do not need to see your sister,' meddai Ephraim,

yn amau'n gryf nad ei chwaer brydferth fuasai'n disgwyl amdano i lawr rhyw stryd dywyll. 'Do you know where the foreign sailors stay? The English?'

'You are sailor? You have hard drinking, yes? Yesternight.'

'No, I am a quarryman. I need a place to rest, where they speak English.'

'Caleb help you,' datganodd y llanc, yn gwthio'i frest allan cyn rhoi ei law allan lawn mor sydyn. 'You help Caleb?'

'English hotel or guesthouse, I'll pay you later.'

'Pay now,' meddai'r llanc, ei law agored yn dal allan o dan drwyn Ephraim.

'Go away,' chwyrnodd Ephraim, yn taro'i law i ffwrdd fel pe bai'n bryfyn diflas.

Safodd Caleb yno am ychydig yn cysidro'i ddichelldro nesaf gan fod Ephraim wedi hanner troi ei gefn arno wrth eistedd ar y wal. 'I help you, my friend, pay Caleb later. Yes?'

Dechreuodd gerdded i ffwrdd gan edrych dros ei ysgwydd yn amneidio gyda'i law ar i Ephraim ei ddilyn. Ochneidiodd Ephraim a rhwbio'i dalcen. 'Before we go,' galwodd ar ei ôl gan rewi Caleb ar hanner ei gam. 'Who is that big man on the horse?'

'The Kaiser?' gofynnodd Caleb, yn codi'i aeliau ac yn pwyntio at y cerflun efydd, enfawr, wrth ei gefn. 'This is Kaiser Wilhelm Platz, the beautiful centre of Szczecin. We say Szczecin. You and the Germans, you say Stettin. Not correct! It is Szczecin.' Ynganodd enw'r lle yn araf ac roedd yn swnio fel pe bai wedi meddwi i Ephraim.

'Who is Kaiser William?'

'Wilhelm? He own everything,' atebodd Caleb gan chwerthin ac yn chwifio'i freichiau o gwmpas yn ormodol. 'But he is a bachor. A ... a ... child, you know? You see the soldiers? That is correct. He is not a Warrior King, like Napoleon or Jagiełło. He hides behind his soldiers, a bachor King.' Rhochiodd Caleb yn ddihidio cyn poeri llond ceg o boer gwyn ar y palmant wrth draed Ephraim. Cynigiodd ei law i'w helpu ar ei draed a dweud, 'Let's go.'

III

Wrth gyrraedd y frwydr roedd yr ergydion yn tanio'n fwyfwy achlysurol a chalon Ephraim yn curo fel pe bai'n ceisio dianc o'i fron. Camodd heibio i gyrff meirw, weithiau sathrodd ar ei pennau, a gwthiodd ei fidog rhwng asennau'r gelyn os oedd unrhyw arwydd o eneidiau byw i'w weld ynddynt. Gwelodd fflach reiffl yn tanio o'i olwg rownd y gornel ysgafn o'i flaen.

'Yffach!' ebychodd Emyr Jones wrth luchio'i gorff yn erbyn wal uchel y ffos mewn braw.

Yna tawelwch, yr ergyd olaf wedi'i thanio, am y tro. Tynnodd Ephraim ei helmed ddur gan sychu'r chwys oddi ar ei dalcen, yr hylif yn dwysbigo'i lygaid. Smiciodd ei lygaid yn ormodol wrth osod ei helmed 'nôl ar ei gorun a chripian ymlaen tua'r gornel. Clywodd synau griddfan wrth agosáu a'i reiffl yn crynu yn ei ddwylo fel dewin dŵr ar waith.

'Diawch, mae'n drew ...' dechreuodd Emyr.

'Distaw!' sibrydodd Ephraim heb droi. Clywodd sŵn rhywun yn ymdrechu, tebyg i injan yn ceisio tanio.

Yyyyy ... Yyy.

Yyy ... Yyy ... Y ...

Cododd ei law i atal y dynion wrth ei gefn rhag mentro'n agosach a chydiodd yn y pistol Webley yn ei wregys. Sythodd ei fraich a thanio'r fflêr i hisian yn rhuban coch tua'r lloer. Rhoddodd ei gefn yn erbyn wal y ffos a gorfodi'i hun i droi'r gornel, ei reiffl yn barod wrth ei ysgwydd. Clywodd sgrechfeydd byr rhwng y twrw ymdrechu.

Yyy ... Aaarrr ... Yyyy ... Y ...

Aaarra ... Aha ... yyy ... Yyy ... YY ...

Trodd y gornel a gweld y cyrff wedi'u pentyrru'n fflêr yn fôr gwyllt o gnawd marw, breichiau a choesau wedi'u troi ar onglau annaturiol. Ym mhen draw'r ffos gwelai filwr yn stryffaglu wrth orwedd ar ei ben ôl – wyneb y gelyn – yr un byw cyntaf iddo'i weld. Roedd yn amlwg bod ei goes wedi'i dal dan gyrff eraill ac roedd y milwr yn gwneud stumiau rhuslyd wrth ei weld yn agosáu, tynnai'n wyllt ar ei goes dde.

'Nicht schießen, nicht schießen,' meddai'r milwr, ei lais yn llawn panig. 'Nein, nein!' Cododd un o'i ddwylo dros ei ben, ei fysedd ar led, gan barhau i frwydro i ryddhau'i hun gyda'r llaw arall.

'Reg dich ab,' meddai Ephraim yn ceisio'i dawelu ac wrth i'r geiriau adael ei geg taniodd sŵn ergyd reiffl yn agos at ei glust a ffrwydrodd gwddf yr Almaenwr yn ddu yn erbyn cochni'r fflêr a disgynnodd yn fflat ar ei gefn. 'Iesu Grist! Be ti'n trio neud, ddyn? Byddaru rhywun?'

'Sori Pritch,' medd Emyr Jones. 'A laddes i'r bastard?'

Edrychodd ar yr ofn pur ar wyneb hir Emyr, clustiau Ephraim yn gwichian fel chwib tegell.

*

Nofiai Ephraim dan y flanced denau, ei gorff noeth yn socian â'i chwys llysnafeddog ac yntau'n rhynnu'n ddiatal, er bod yr ystafell yn yr atig yn llethol o boeth. Dôi awel gynnes drwy'r ffenest ddormer fechan, y cyrtan di-lun yn fflapio fel hwyliau. Sawl gwaith yn ystod oriau mân y bore canfu ei hun yn cael ei hyrddio'n effro o'i hunllefau, ei feddyliau yn siang-di-fang drwy niwl yr hanner ymwybod.

Yn ei hunllef roedd o'n eistedd ar ymyl y to cromen anferth yng nghanol y ddinas ac yn edrych ar y ddinas islaw yn wenfflam. Hedfanai bwystfilod o amgylch y gyflafan; diawliaid mawr du a'u hadenydd yn gynfasau o groen coch, tenau rhwng esgyrn eu bysedd hirion, yr oddaith wenfflam islaw yn adlewyrchu golau ar gyhyrau cadarn eu cyrff dynol. O bryd i'w gilydd cydiai rhai o'r ellyllon yn un o'r dinasyddion fferllyd o blith y bobl a gasglwyd at ei gilydd yng nghanol y sgwâr gyda bysedd milain eu hadenydd, a stwffio'u pennau sgrechlyd i'w cegau mawr a'u brathu'n rhydd o'u cyrff. Yna lluchid y cyrff yn ddi-hid i mewn i'r tanau mawr. Syllai Ephraim yn ddideimlad ar y glanastra o'i lecyn manteisiol ar yr unig adeilad yn Stettin nad oedd ynghyn. Gwelodd fod un o'r bwystfilod wedi sylwi arno o bell, ac er iddo'i wylio'n hedfan tuag ato, nid ymdrechodd i ddianc. Cyrhaeddodd y diawl a hofran, wyneb yn wyneb ag Ephraim. Roedd ei lygaid mor ddu â gwaelod pwll glo, ei drwyn yn fach ac yn fain uwchben ei geg anferth. Diferai gwaed yn biws oddi ar ei ddannedd miniog, gorwyn. Teimlai Ephraim gynnwrf yr aer ar ei wyneb wrth i adenydd y diawl guro y naill ochr a'r llall iddo.

Gwenodd y diawl ei wên erchyll ac ongli ei ben yn ymofyngar, ei glustiau pigog yn troi tuag at Ephraim. Rhoddodd Ephraim ei law ar grib rhuddgoch pen aruthrol fawr yr ellyll a'i fwytho'n dyner.

Bwyta dy swper i gyd yn hogyn da, meddai Ephraim wrth y diawl.

Deffrodd.

Roedd llaw oer ar ei geg a gwelodd ddyn yn pwyso drosto yn yr hanner gwyll a bys hir ei law arall ar draws ei wefusau.

'Shhhh. Go asleep, quarryman,' sibrydodd Caleb a theimlodd Ephraim rywbeth yn pwyso yn erbyn gwaelod afal breuant ei wddf. 'Don't make me open your neck.'

Nid oedd Ephraim yn sicr o gwbl ai drychiolaeth ynteu dyn o gnawd a gwaed oedd yn sefyll drosto. Teimlai ei gorff yn wlyb fel pe bai mewn bàth oer a'i ben yn boeth fel pe bai mewn ffwrnais. Caeodd ei lygaid yn dynn a chododd y llaw oddi ar ei geg, disgynnodd yn ôl i drwmgwsg a'r diawliaid yn dychwelyd yn gwmni iddo.

Agorodd ei lygaid bynafus eto, ei ben yn glir a'i gorff yn sych dan y flanced denau. Rhoddodd ei law ar ei wddf a theimlo'i groen dan ei farf. Edrychodd ar ei fysedd wedyn. Dim gwaed. Llyncodd y poer yn ei geg, ei lwnc yn dipyn llai poenus na'r diwrnod cynt.

Caeodd ei lygaid yn holltau main ac edrych tuag at y ffenest lachar a'i chyrtan yn cynhyrfu ar yr awel. Roedd drws yr ystafell fechan gyferbyn â'r gwely yn gilagored ac yn gwichian mymryn yn y drafft. Caeodd Ephraim ei lygaid ac ochneidio'n drist. Nid breuddwyd oedd ymweliad yr hogyn Pwylaidd. Gorweddai'i ddillad bob sut ar hyd carped carpiog llawr yr ystafell, ei sach yn llipa ar gefn y gadair bren o dan y ffenest. Safai esgidiau Caleb wrth ochr y gwely a thyllau yn y bodiau yn edrych i fyny ar Ephraim fel llygaid llygoden. Chwarddodd wrtho'i hun. Diolch Caleb, gobeithio eu bod nhw'n ffitio, meddyliodd, gan dynnu'r flanced oddi ar ei gorff. Synnodd o'r newydd ar ei gorff eiddil, a phatrymau lliwgar ei hen glwyfau yn bla drosto o hyd. Eisteddodd i fyny.

Camodd o'r gwely a gafael yn y sach a'i hysgwyd â'i phen i waered. Cwbl wag. Cydiodd yn y gadair bren a chymeryd y cam tuag at y drws, gwthiodd gefn y gadair ar ongl o dan ddolen y drws. Caeodd y drws gyda chlic a dwy goes ôl y gadair yn gwichian yn dynn ar y llawr pren. Trodd Ephraim a sefyll yn noeth yng nghanol yr ystafell fechan, edrychodd ar weddillion ei holl eiddo ar wasgar ar hyd y llawr di-raen. Gorweddai'r unig bâr o lodrau isaf oedd ganddo yn wlyb diferol o dan y ffenest, a'r bowlen ddŵr yr oedd Ephraim wedi'u socian nhw ynddi'r noson cynt yn gorwedd ar eu pennau. Roedd ei grysau wrth y gwely a'i drowsus a'i siaced gyda'u pocedi tu chwithig allan wrth eu hymyl. Gwyddai fod ei bwrs wedi'i ddwyn a hefyd fod ei esgidiau a'i sanau wedi mynd. Cododd ei lodrau a'r bowlen oddi ar y llawr a gwasgu'r dŵr budur allan o'r dilledyn i mewn i'r ddysgl, eu hysgwyd ac yna'u gwisgo. Teimlent yn braf arno yn yr ystafell boeth. Yna sylwodd ar gysgod o dan y gwely pren, pelen dywyll i godi gobaith yn ei galon. Aeth ar ei bedwar ac estyn ei law i chwilio am y belen ddu. Daeth ei fraich yn ôl dan orchudd o lwch manflewog, llwydaidd. Roedd yn cydio mewn pâr o sanau.

Newyddion da o lawenydd mawr, dywedodd Ephraim wrtho'i hun, dadelfennu'r ddau bartner gwlanog a dadorchuddio'i watsh boced a'i chadwyn aur.

Trysor!

Tybiai i'r belen rowlio allan o'r sach ac o dan y gwely yn y tywyllwch neithiwr heb i'r lleidr sylwi arni. Diolch byth am hynny. Rhoddodd y sanau am ei draed a gwisgo'i ddillad, yna rhoi'r watsh ym mhoced ei siaced a gwasgu i mewn i esgidiau tynn y lleidr, Caleb.

Gwyddai wrth drafod pris yr ystafell gyda'r tafarnwr y noson cynt nad oedd yn yr ardal fwyaf diogel yn y ddinas, ond gan ei fod ar fin llewygu ar y pryd, nid oedd llawer o ddewis ganddo. Roedd

Caleb wedi'i hebrwng i grombil Stettin o'r sgwâr mawr agored, a'r strydoedd yn mynd yn gulach ac yn gulach wrth iddynt ymbellhau o'r afon. Nid oedd pall ar siarad Caleb yr holl ffordd yno, hyd yn oed pan arhosodd Ephraim i edrych ar fap mawr o'r Môr Baltig mewn ffenest siop lyfrau. Syllodd arno am hydoedd a llais y Pwyliwr ifanc fel gwenynen wrth ei glust. Yna, stopiodd glebran, a daeth distawrwydd rhyngddynt gan beri i Ephraim edrych arno.

Pwyntiodd Caleb at y map Almaeneg. 'It is *Morze Bałtyckie*, your Walia … England is here.' Pwyntiodd i ffwrdd oddi ar y map ryw ychydig tua'r gornel chwith isaf. 'You see here?' Symudodd Caleb ei law i gyfeiriad gwaelod y môr ar yr ochr dde. 'We are here, in Stettin. The picture say Stettin, you see?'

Gwelodd Ephraim y gair a gwelodd afon – R. Oder – yn llinyn crych drwy'r map yn symud i lawr tuag at y gwaelod a llifo ymlaen oddi ar ymyl y papur. Buasai'n haws deall ble'r oedd o pe buasai ar y lleuad, meddyliodd. O leiaf roedd o'n gyfarwydd â'r lleuad, roedd y môr hwn a'i gylch o wledydd yn gwbl ddiarth iddo. Roedd ei stumog yn troi fel pe bai corwynt o golomennod byw yn rhuglo'u hadenydd ynddo.

'How far?' gofynnodd i'r llanc.

'Not far, my friend. Next street.' Yn wir, ymhen munud o gerdded, a oedd erbyn hyn yn artaith i

Ephraim Pritchard, dywedodd yr hebryngydd ifanc, 'Here, the Eisenschiff Bierstube, she very good house, my friend, very good.'

Edrychodd Ephraim ar y dafarn ar draws y stryd goblog, gul, ei ffenestri'n ddu a llychlyd a'i drws yn llydan agored. Ymddangosodd dyn wedi meddwi'n dwll yn sigledig o ddüwch yr agoriad yn ceisio rhoi het am ei ben gyda'i law dde. Roedd ei het yn ei law chwith. Ymhen ychydig rhoddodd y dyn y gorau iddi ac igam-ogamodd ei ffordd i lawr y stryd.

'Here?'

'Yes, yes,' meddai'r llanc Caleb, ei law allan yn ddisgwylgar. 'Thank you, my friend,' ychwanegodd yn hyf.

Roedd Ephraim eisoes wedi estyn hanner swllt o'i bwrs o olwg llygaid yr hogyn a rhoddodd hwn yn ei law a'i wasgu yno'n dynn. Syllodd yn daer i lygaid Caleb. 'Here?' gofynnodd eto.

'Yes,' meddai'r llanc. 'It is good house.'

Ysgydwodd Ephraim ei law gan barhau i syllu i'w lygaid a dweud, 'Diolch i ti, diolch o galon.' Edrychodd unwaith eto i dywyllwch y dafarn cyn gollwng ei afael ar law Caleb a cherdded ar draws y stryd gul. Trodd i edrych arno'n sefyll yn yr unfan yn codi'i law cyn diflannu drwy'r adwy dywyll.

'Was willst du?' gofynnodd dyn byr a thew, yn rhwbio'i gadach gwlyb ar draws bwrdd pren. Nid oedd neb arall yno ar wahân i ddau ddyn yn edrych fel petaent yn hanner cysgu ym mhen draw'r bar tywyll. Heb aros am ateb aeth y barmon ymlaen at y bwrdd nesaf gan godi gwydryn gwag cyn tynnu'i gadach allan i'w roi ar waith eto.

'Rooms?' gofynnodd Ephraim, ei lais yn torri wrth i'r gair ddianc yn boenus o'i wddf. Tagodd.

'Was?' Cododd bont sgwâr o bren i agor darn o'r bar cyn mentro drwodd.

'Do you have rooms?'

'Oh? Sie sind ein englischer Seemann? English.'

'Cymro,' meddai Ephraim wedi blino'n llwyr.

'What want you, English?' Estynnodd y dyn bach wydr peint oddi ar y rhes yn hongian ar fachau wrth ei gefn. 'Beer?'

'Room to sleep.'

'We have room. You have money?'

Rhoddodd Ephraim ei bwrs ar y bar a'i agor gan adael i'w bres ddisgyn i'r golwg. 'English money.'

'Money,' meddai'r Almaenwr, yn nodio'i ben ac yn gwenu am y tro cyntaf. 'English money is good.' Rhoddodd y gwydr yn gyflym o dan y tap cyn tywallt cwrw ffrothlyd i'w hanner. 'Here, drink!' Glaniodd y gwydr yn glec ar y bar o flaen Ephraim. 'No charge, drink.'

'Some food?' gofynnodd, yn llwyddo i wenu'n wan ar y dyn.

'There is …' Camodd y dyn tua gwaelod y bar a chodi caead ar grochan mawr du. 'Eintopf.' Cododd lond lletwad o hylif o'r crochan a'i arllwys yn ôl yn dalpiau gludiog, brown, llwydaidd. 'It is warm, still. Lammeintopf, very good.' Edrychodd yn obeithiol arno a nodiodd Ephraim er fod y bwyd yn edrych yn gwbl afiach.

'How much for the room and food?'

Cerddodd y barmon tuag ato'n rhonciog a phowlennaid o'r cawl fel cwch ar y môr yn ei law. Gosododd y bwyd o'i flaen, yna dechrau byseddu'n araf ofalus drwy'r arian ar y bar. Gwahanodd dri darn swllt a'u dangos i'w gwsmer newydd gan bwyntio tuag atynt gyda'i law agored.

'For a week?' gofynnodd Ephraim, heb unrhyw awydd na bwriad i aros yn y fath le am gyfnod mor hir.

'No, no,' meddai'r barmon yn rhychu talcen, ei wên yn diflannu. 'Today. You go tomorrow.'

Ysgydwodd Ephraim ei ben a chymeryd dau swllt yn ôl a'u rhoi yn ei bwrs, ei gau a'i roi yn ei boced. Cododd y swllt oedd yn dal ar y bar rhwng ei fys a'i fawd a'i ddangos i'r barmon. 'For one night.'

Safodd y ddau yn syllu ar y pishyn arian am ychydig cyn i'r wên ddychwelyd i godi bochau tew'r tafarnwr. 'Gut, English, gut, gut.' Rhoddodd lwy arian ar y bar a chymeryd y swllt o law Ephraim.

IV

Rhuai sŵn di-baid tebyg i'r dril mawr yn mynd fel Jehu 'nôl yn y chwarel yng nghlust dde Ephraim ers neithiwr. Eisteddai i fyny ar ei wely yn darllen ac yn ceisio'i orau i anwybyddu'r hanner dwsin o ddynion eraill yn y byncer. Gwenodd wrth ddarllen jôc arall ar gorn yr uwch swyddogion yn *The Wipers Times*, papur dychanol a ffeindiodd ei ffordd i lawr y lein at eu platŵn hwy yn bapur rhacs erbyn hynny, cymaint oedd wedi'i fwynhau eisoes.

Glaniodd hwrdd o gardiau chwarae dros ei gorff fel dail yr hydref wrth i ddau o'i gyd-filwyr godi oddi wrth y bwrdd a dechrau sgwario ar ei gilydd.

'Ista Emyr,' bloeddiodd Ephraim heb symud modfedd. 'Neu cerwch allan os dach chi isho cwffio,'

'Pam ti'n pigo arna i, Pritch? Benbo Pisho Crics man 'yn o'dd yn tsheto.' Gwthiodd Emyr Jones y bragwr Ben Watkins gyda'i ddwylo glöwr rhofiau mawr, y dyn hanner ei faint yn dal ei dir ac yn codi'i ddyrnau yntau.

'Am mai chdi daniodd y blydi gwn 'na yn 'yn blydi clust i, dyna pam, Emyr blydi Jones. Ista, 'nei di?'

'Olreit, Pritch. Diawch, ti fel matsien achan,' meddai Emyr, gan wneud i Ephraim wenu eto wrth i'r milwr fethu gweld yr eironi yn ei ddatganiad.

Eisteddodd y glöwr a gwgu ar Ben Watkins. Camodd hwnnw draw at wely Ephraim a dechrau casglu'r cardiau oddi ar y llawr.

Edrychodd i fyny ar Ephraim, ei ben yn ôl yn y papur. 'Sori, Pritch, beth wedodd Doc am dy glust?'

'Dim. Be 'di'r pwynt? Tydi o ddim yn mynd i 'ngyrru fi o'r ffrynt am bod gynno fi bigyn clust, yn na'di?'

'Sbo.'

Tra'r oedd Ben yn casglu gweddill y cardiau oddi ar wely Ephraim chwifiodd cyrtan blanced y byncer yn agored a lefftenant y platŵn, Harry Gwynne, yn pwyso i mewn drwy'r adwy.

''Co ni bant,' mwmialodd Emyr dan ei wynt.

'At ease men,' dechreuodd Lefftenant Gwynne wrth i'r dynion sefyll a sythu, pawb heblaw Ephraim Pritchard, a roddodd y papur wrth ymyl ei wely yng nghysgodion cefn y twll. 'Orders coming down the line. Big push early morning, positions in an hour. Write your letters and gather your thoughts, gentlemen. We're to take those woods by sundown tomorrow.'

'What's our starting position, sir?' gofynnodd Corporal Pryce, cyfrifydd main o Abertawe.

'The sergeant will form the lines, suffice to say we're all heading off from White Trench, corporal.'

Gyda hyn amneidiodd y lefftenant ei ben yn swta, cyn pwyso yn ôl allan o'r byncer.

'Wel, cachu mwnci,' meddai Ben Watkins, yn lladd y distawrwydd ac yn lluchio'r cardiau ar y bwrdd. 'O White, os ti'n credu'r peth, o blydi White!'

Cododd Ephraim y papur yn ei ôl i'w ddarllen a dweud, 'White, Caterpillar, Bottom Wood, tydi o'n gwneud dim gwahaniaeth Ben bach, yr un gynnau ti'n mynd i wynebu a'r un Mametz Wood ni'n mynd i orfod ennill.'

*

'Ich habe ihn gefunden, Herr Pritchard.' Cododd Ephraim ei ben o'i frecwast ac edrych ar yr hogyn o'i flaen yn gafael yn y golofn farmor wrth ymyl ei fwrdd yn y Gaststätte König yn ceisio cael ei wynt ato. 'I have found him.'

'Wer, Mesut?' gofynnodd Ephraim a sychu'r saim oddi ar ei geg gyda napcyn o liain gwyn.

'This Caleb,' meddai, ei law ar ei frest. 'Der polnische Kerl.'

'Are you sure it's him?' Pwysodd Ephraim yn ôl o'r bwrdd a thynnu'r napcyn o goler ei grys cyn sythu'i dei aur.

Nodiodd yr hogyn. 'He is with the sewer rats. Schlafen mit den Kanalratten, unter der Brücke.'

'The bridge?'

'Ja.'

'Why?'

'He has broken his face, von jemandem geschlagen, Herr Pritchard.'

'Who beat him?'

Cododd yr hogyn ei ysgwyddau ac ysgwyd ei ben. Amneidiodd Ephraim arno a dweud, 'Go tell Gunther where to find him. Tell him to take him to the Schuhfabrik on Passauer Strasse, Mesut.' Cychwynnodd yr hogyn droi ar ei sawdl yn eiddgar o gyflym. 'Oh, and Mesut, tell him, keine Misshandlung. No funny business.' Nodiodd yr hogyn cyn hedfan allan o'r caffi prysur, yn naddu'i ffordd yn osgeiddig heibio i gefnau cadeiriau'r cwsmeriaid.

Edrychodd Ephraim arno'n mynd gan bwyso'i gadair ar ei choesau ôl nes bod ei gefn yn cyffwrdd y wal, a gwên fach yn ffurfio dan ei fwstásh trwsiadus. Bachodd ei fodiau ym mhocedi'i wasgod, ei fysedd yn chwarae ar ei stumog lawn.

Wedi cael crasfa gan rywun felly, meddyliodd, ac wedi mynd i guddio dan ryw bont fudur.

Cofiodd y tro diwetha iddo weld y llanc, ac yntau yng nghanol deliriwm haint gwresog mewn gwely diarth. Mewn tafarn ddiarth. Dinas ddiarth mewn gwlad ddiarth. Cyllell wrth ei wddf a wyneb gwelw fel ysbryd yn pwyso drosto yn y gwyll. Cofiodd am y bore trannoeth, wedi gorffwys, a'r teimlad gwag yn ei berfedd wrth sylweddoli ei fod ar goll yn llwyr ym mhob ystyr.

Ar goll.

Sleifiodd i lawr y grisiau'r bore hwnnw ac allan o ddrws ffrynt y dafarn a llais y tafarnwr yn bloeddio o'r tu cefn iddo. Wyddai Ephraim ddim am beth. Roedd esgidiau'r ysbeiliwr yn gwasgu ar ochrau ei draed braidd, ond o leiaf roedd ei fodiau yn y mannau cywir yn sbecian allan o'r tyllau blaen wrth iddo gamu ar ei ffordd. Cerddodd yn ôl drwy'r maes agored, heibio'r brenin efydd ac i lawr at yr afon. Roedd hi'n ddiwrnod prysurach na'r diwrnod cynt hyd yn oed ac Ephraim yn gorfod gofalu nad oedd yn cael ei daro gan un o'r dwsinau o gerbydau a wibiai i fyny ac i lawr yn ymyl y dociau. Synnodd wrth basio ceffyl a chert fod y ceffyl yn gwbl lonydd er yr holl brysurdeb swnllyd o'i gwmpas.

Ceffyl modern yn gallu addasu i'w amgylchiadau, meddyliodd a rhoi mwythau i'w drwyn. Hogyn da.

Wrth droi'r gornel gwelodd yn syth nad oedd y sgwner yno wrth ymyl y llong bysgota. Mygodd corn y llong bysgota'n gwmwl llwyd a physgotwr yn taflu rhaffau iddi o ymyl y cei. Brysiodd Ephraim i lawr y cei rhag i'r llong adael cyn iddo gael holi'r criw.

'Helo!' meddai wrth i bysgotwr y rhaffau esgyn i'r

llong; trodd i edrych arno. 'Can you help me, please?' Syllodd y dyn arno, ei osgo wedi rhewi ac yn cydio mewn polyn bychan, un droed ar y llong bysgota. Pwyntiodd Ephraim at y gwagle ar lan yr afon, lle bu'r sgwner. 'The ship that was here …' Tynnodd y dyn ei droed oddi ar y llong a rhoi ei ddwylo ar ei gluniau. '… Where is she?'

'Gone home,' meddai'r dyn mewn acen galed ryfedd ac estron i Ephraim. 'Gone without you?'

'No, well yes, perhaps. No, not really,' atebodd, yn ysgwyd ei ben i bob cyfeiriad.

'Yes or no?' gofynnodd y pysgotwr, yn chwerthin ac yn crafu'i wegil.

'What was she called? The ship.'

Rhychodd y pysgotwr ei dalcen a gwthio'i het i orwedd yn uchel ar ei ben moel. 'Cedrik, hvad var navnet på denne skonnert?' Pwyntiodd y pysgotwr i'r un gwagle wrth floeddio'r cwestiwn tuag at y llong bysgota. Ymddangosodd pen o ffenest ochr agored y caban.

'Hvad, Ebbe?' gofynnodd Cedrik.

'Den Engelske skonnert, hvad hun hedder?' holodd eto a dyma Cedrik wedyn yn gwthio'i het yn uchel ar ei dalcen ac yn codi'i ên tua'r awyr fel pe bai'n archwilio'r tywydd.

'Jeg tror, *Mary Lloyd*.'

Cyflwynodd y pysgotwr Ebbe eiriau'i gyd-forwr

Cedrik i Ephraim gyda'i ddwylo fel pe baent yn rhoddion gwerthfawr. 'Mary Lloyd,' meddai gan ailadrodd ac yn ailgyflwyno'i rodd.

'Diolch,' meddai Ephraim. 'Thank you,' ychwanegodd a throi i adael.

'Hey, knægt,' meddai Ebbe wrth ei gefn. 'Are you sick, boy?'

Trodd Ephraim Pritchard ac edrych ar y pryder ar wyneb y pysgotwr. Ysgydwodd ei ben a gwenu arno, cododd ei law a cherdded yn ôl tuag at y dre.

Wrth adael y cei sylweddolodd Ephraim fod arwyddocâd pellach yn perthyn i'w wên na dim ond ceisio lliniaru gofidion rhyw bysgotwr diarth. Sylwodd fod yr ymwybyddiaeth ei fod yn ddiymgeledd, heb gyfaill na cheiniog i'w enw, mewn gwlad estron wedi ei ryddhau yn llwyr o ffrwynau ei fywyd blaenorol.

Roedd fel pe bai yn ysbryd, yn anweledig. Gallai fynd i ble bynnag y mynnai.

Trodd cyn cyrraedd y gornel a gweld y llong bysgota'n pwffian mynd tua'r môr gyda llif yr afon lydan. Gwyddai ei fod wedi gwneud camsyniad wrth ddianc o'r sgwner. Pe buasai'r morwyr Cymraeg yna am wneud niwed iddo yna y funud hon buasai'i esgyrn yn gorwedd rywle ar waelod un o'r moroedd rhwng Porthmadog a'r Stettin yma. Ond roedd o wedi'i ddrysu ar y pryd, ac yn llawn ofn.

Chwarddodd am eiliad fer a chodi llaw eto ar Ebbe a Cedrik. 'Pob lwc, hogia,' meddai dan ei wynt.

Erbyn diwedd y prynhawn eisteddai gyda rasel hogi ar ei wddf, o'i wirfodd y tro hwn a barbwr bychan, chwimwth, tenau fel milgi yn chwibanu rhyw alaw ansoniarus rhwng ei sgwrs wrth iddo eillio'i farf flêr i'r llawr. Cadwodd ei fwstásh ac erbyn codi o'r sedd edrychai fel dyn diarth yn y drych o'i flaen unwaith yn rhagor, ei wallt yn fyr a thaclus.

Gwerthodd ei watsh a'i chadwyn aur ynghynt i emydd cydymdeimladol ac roedd eisoes wedi prynu llodrau isaf newydd ac wedi mynychu baddondy cyhoeddus cyn eistedd yn sedd y barbwr parablus. Nawr, wrth edrych arno'i hun yn y drych yn eistedd yn gysurus a'r geiriau estron yn byrlymu o geg y barbwr wrth iddo frwsio'r blewiach oddi ar ei wegil, gwyddai Ephraim y buasai'n gallu ymdopi â'i sefyllfa.

Cerddodd a'i gefn yn hollsyth am y tro cyntaf ers glanio oddi ar y *Mary Lloyd*, allan o siop y barbwr wrth ymyl Kaiser Wilhelm Platz drwy'r sgwâr prydferth ac yn ôl tuag at yr hen ddinas. Ymhen ychydig safai unwaith eto tu allan i dafarn ddi-raen yr Eisenschiff Bierstube. Roedd y stryd gul yn llawn morwyr a masnachwyr yn mynd a dod o gwmpas eu busnes. Sylwodd Ephraim nad oedd unrhyw brysurdeb yn agos at yr Eisenschiff Bierstube, yn hytrach, roedd fel pe bai pobl yn osgoi cerdded yn rhy agos i'w drws, fel pe bai haint ar y lle, neu fod ofn ganddynt rhag cael eu sugno i mewn i'r lle uffernol.

Crwydrodd yn ei flaen yn gwylio'r prysurdeb am amser hir cyn penderfynu rhoi cynnig ar dafarn gornel ar groeslon tua hanner ffordd i lawr y stryd. Y groeslon hon oedd rhan brysuraf y stryd hir. Edrychodd i fyny ar yr arwydd pren: Der Schlaue Fuchs, a chynffon llwynog yn chwifio drwy'r geiriau, ei gorff cïol oddi tano a'i ben yn edrych yn ôl yn slei dros ei ysgwydd. Roedd ei dafod yn hongian allan o ochr ei geg agored a gwenai'n fodlon.

Tynnodd Ephraim ei gap a'i stwffio i'w boced, yna gwthio'i ffordd i mewn drwy'r drws cornel.

Disgleiriai wal o wydrau ar hyd wal gefn y dafarn uwchben y bar hir, a'r ystafell fawr yn olau gyda'i ffenestri llydan a'i nenfwd uchel. Eisteddai dwsinau o ddynion yn bwyta ac yfed, y byrddau ar wasgar ac yn hanner llawn. Roedd yr awyrgylch yn hwyliog ac ymlaciol a'r aer yn grwnan gyda sŵn sgwrsio a chwerthin.

Cerddodd at y bar gan wenu ac amneidio ar y dynion wrth fynd.

Nodiodd y barmon arno â hanner gwên ochelgar a gofyn, 'Was willst du trinken?'

'Hallo,' meddai Ephraim, oedd eisoes wedi sylwi bod y cyfarchiad fymryn yn wahanol yn yr Almaeneg. 'Could I see the manager, please.'

'Der Manager?' gofynnodd y barmon, y wên yn diflannu oddi ar ei wyneb hir.

'Yes.'

Pwyntiodd y barmon ei ên i'r chwith iddo'n swta cyn codi gwydr a chadach a mynd rhagddo i'w anwybyddu'n llwyr. Edrychodd Ephraim i'r dde a gweld dyn yn eistedd wrth fwrdd yn agos at ddrws swing prysur y gegin. Syllodd y dyn yn ôl arno, ei gadair wedi'i throi i'w wynebu, yn amlwg roedd wedi'i glywed yn holi amdano. Amneidiodd gyda'i law iddo nesáu. Cerddodd tuag ato'n araf, ei ddwylo tu cefn iddo.

'Hallo,' meddai Ephraim gan roi ei ben ar ogwydd. 'My name is Ephraim Pritchard, from Wales.'

Edrychodd y dyn, cyffredin yr olwg, ar ei ddau gyfaill o gwmpas y bwrdd gan wenu'n ddireidus. 'Hallo, Herr Pritchard aus Wales.' Cododd ei ddwy law allan o'i flaen yn gymwynasgar. 'How can I be of service?'

'I was hoping that you have work I could do for you. Any work.' Edrychodd yn ddifrifol ar y dyn yna gwenu'n ôl arno, ei aeliau wedi'u codi a'i lygaid yn fawr fel soseri. 'Please, sir,' ychwanegodd i lenwi'r distawrwydd chwithig.

'I am the owner, Herr Mauser. You speak German?' gofynnodd o'r diwedd. Ysgydwodd Ephraim ei ben. 'This Wales it is in England, yes?' Nodiodd Ephraim arno, i gadw pethau'n syml. 'You are a good worker? Industrious?' Nodiodd eto, yn frwd y tro hwn. Diflannodd y wên oddi ar wyneb y dyn a throdd at ei ddau gyfaill wrth y bwrdd hirsgwar a sibrwd ychydig o eiriau Almaeneg wrthynt drwy ochr ei geg. Cododd un o'r dynion, dyn mawr â phen moel fel cefn llwy.

Cerddodd heibio i Ephraim, 'Follow me,' chwyrnodd hwnnw, y geiriau fel pe baent yn cyrraedd ei glustiau o grombil ogof ddwfn.

Nid edrychodd y perchennog arno wrth i Ephraim ddilyn y llabwst drwy ddrws swing tua thincial swnllyd y gegin. Ni chododd yr un o'r pedwar cogydd ei ben wrth i'r ddau fynd heibio y tu cefn iddynt tuag at ben pellaf y gegin wen. Yn amlwg roedd gwir drefn ar y gwaith yno a'r cogyddion yn eu lifreiau gwynion, di-staen yn brysur a'r topiau'n drefnus, glân a thwt.

Bloeddiodd y dyn pen moel ar rywun, 'Saul? Saul! Wo bist du, du ficken Schwein?'

Ymddangosodd y dyn Saul, tenau fel styllen, yn yr adwy yng nghefn y gegin, 'Ich war damit beschäftigt in der gasse, Gunther, deine schwester ficken,' atebodd Saul gan luchio coes oen oddi ar ei ysgwydd i lanio'n swnllyd ar y cownter dur.

'New boy,' meddai'r dyn pen moel, Gunther yn ôl Saul, gan anwybyddu'r ateb sarhaus. 'Name?'

Syllodd ar Ephraim drwy ymyl ei lygaid. 'Me?' gofynnodd, yn pwyntio at ei fron.

'No, the name of your mama's left titty,' meddai Gunther.

'Ephraim Pritchard,'

'Haim,' meddai Gunther yn ei gyflwyno. 'Saul, dies ist Haim ihr neuer Küchejunge.'

'Scheisse, er sieht aus wie eine schlechte Nachricht,' meddai'r cogydd tenau'n ddrwgdybus.

Gwenodd Ephraim arno heb ddeall gair.

Treuliodd Ephraim dros ddau fis yn golchi llestri, potiau a sosbenni mewn sinciau anferth llawn dŵr berwedig yng nghefn y gegin. Roedd yr oriau'n hir a'r pres yn warthus, ond roedd ganddo wely mewn cwt yn yr iard gefn ac roedd ei brydau bwyd i gyd am ddim. Ar y cychwyn roedd ei ddwylo hyd at ei benelinau'n borffor a'r gwaed yn pylsio'n boenus drwyddynt wedi deng munud yn y dŵr chwilboeth, ond erbyn gweld y perchennog eto roedd ei ddwylo fel lledr meddal.

Roedd wedi dysgu tipyn o Almaeneg yn y cyfamser wrth drafod gyda'r cogyddion a chwarae cardiau gyda'r ddau weinydd oedd yn rhannu'r cwt gydag ef. Cnociodd ar ddrws swyddfa'r perchennog, Herr Mauser, ychydig funudau wedi i Saul ei hysbysu ei fod am ei weld.

'Ja?'

Agorodd Ephraim y drws ddigon i ddangos ei ben. 'You wish to see me, Herr Mauser?'

'Ah! Yes, Herr Wales. Haim, come, come.' Cododd i sefyll tu ôl i'w ddesg fechan mewn swyddfa dlodaidd, ddigymeriad. 'How is your German now, boy?'

'Ziemlich gut,' atebodd Ephraim yn gadarnhaol ond â golwg ddryslyd ar ei wyneb.

'You are a good worker, everybody likes you, you keep yourself to yourself. No trouble. I like that. I thought you had something different that first day. Sit, sit boy.'

Eisteddodd Ephraim ac aros.

Ochneidiodd Her Mauser, 'How would you like to work the tables, Haim?'

'Like Petr and Herman?'

'You make more money, better money than those boys. Real opportunity, Haim.'

'I don't understand, Herr Mauser.'

'We live in a modern world, with many different people from all over coming to this city to buy and sell their goods, you understand?' Nodiodd Ephraim. 'I need to know things, information, Haim.' Edrychodd Ephraim yn wag arno. Ochneidiodd perchennog Der Schlaue Fuchs eto. 'Say you are a merchant and you want to buy some cloth to make a jacket for yourself, you have … to buy the cloth but would like to pay much less. Now imagine if you were selling the cloth how advantageous would it be to know how much the merchant is willing to pay. You have what is called the upper hand, do you see?'

'I think so,' meddai Ephraim yn ddifrifol.

'I have the best place in Stettin, all the seamen, all the merchants, all the businessmen come to Der Schlaue Fuchs. We need to make this pay, Haim. I have many other business here in Stettin and in Berlin. We can make money together, you and me. You see?'

Nodiodd Ephraim eto. 'How?'

'You will serve the food and the English will talk, they talk and talk … you listen. They think you are German. Hardly any Germans here speak English, they know this. In-for-mation, you see?'

Edrychodd Ephraim Pritchard ar Herr Mauser am amser hir, nes ei fod yn gallu clywed tic-toc y cloc pared uwchben ei feistr am y tro cyntaf, cyn dweud, 'When do we start?'

Flwyddyn yn ddiweddarach, cerddodd Ephraim allan o Der Schlaue Fuchs ac anelu am ffatri esgidiau Herr Mauser. Gwyddai na fuasai Gunther yn gwastraffu amser cyn darganfod yr hogyn a'i hebrwng yno. Amneidiodd ar y bobl wrth basio a chyffwrdd ymyl ei het fowler newydd ar y menywod. Byr fu ei gyfnod yn gweini byrddau ac yn gwrando ar gyfrinachau'r dynion hanner meddw fel yr oedd pethau. Cafodd ei ddyrchafu yn rheolwr Der Schlaue Fuchs ymhen ychydig fisoedd gan fod pethau wedi prysuro i Herr Mauser ym Merlin. Dyrchafwyd Ephraim eto ymhen chwe mis i fod yn warchodwr buddiannau cyffredinol yr Almaenwr yn Stettin. Erbyn hyn roedd ganddo ystafelloedd ar ddau lawr uwchben y becws ar gyrion y sgwâr lle byddai Ephraim yn deffro ag oglau melys y toes yn pobi yn ei ffroenau bob bore. Torrodd drwodd i'r stordy drws nesaf i wneud swyddfa Herr Mauser yn Der Schlaue Fuchs yn un ystafell fawr ac ynddi soffa ledr gyfforddus a desg dderw lydan. Roedd Ephraim yn goruchwylio dwy ffatri, rhes o warysau ar y cei, puteindy yn yr hen dre, dwsin o siopau yn cynnwys y becws a dwy dafarn erbyn hyn. Nid oedd wedi gorfod lladd neb ond gwyddai ei bod yn bosib y byddai hynny'n digwydd, ryw ddydd. Morwr wedi lladd un o'u puteiniaid, efallai. Neu ddyn busnes yn ceisio dwyn rhan o'u tiriogaeth oddi wrthynt; pethau oedd eisoes wedi digwydd yn y misoedd cyn i Ephraim gymeryd yr awenau, meddai Gunther.

Brasgamodd ddwy ris ar y tro i fyny tuag at ddrysau mawr y ffatri a'u gwthio'n agored, oglau lledr yn llenwi'i ffroenau. Camodd i lawr y rhodfa lydan drwy ganol y llawr yn anelu tuag at y swyddfeydd yn y cefn. Cnociodd ar y drws derw cadarn. Cnoc, cnoc, cnoc. Cnoc. Agorwyd y drws gan Mesut a edrychai'n ofnus arno. Edrychodd Ephraim ar Caleb wedi'i raffu i sedd wrth ochr y ddesg ar ganol y swyddfa, ei ben wedi'i blygu tua'r llawr. Gorweddai cynfas lliain brown golau o dan y gadair i arbed y carped ac roedd diferion o waed arno o gwmpas traed y gadair. Eisteddai Gunther ar ymyl y ddesg yn rhwbio'i law, ei figyrnau'n biws. Cafodd Ephraim air yng nghlust Mesut cyn amneidio'n fud tuag at y drws. Brysiodd Mesut i adael a'i gau ar ei ôl. Ysgydwodd Ephraim ei ben ar Gunther tra oedd yn troi'r goriad yn y drws ar yr un pryd. Cododd hwnnw'i ysgwyddau yn ddifater. Gafaelodd mewn cadair wrth y wal a'i gosod ar ymyl y lliain yn wynebu Caleb. Eisteddodd yn y sedd a rhoi ei beneliniau ar ei bengliniau a phlethu'i ddwylo o'i flaen.

'Hallo, again.'

Cododd Caleb ei ben a gwelodd Ephraim fod ei wyneb wedi chwyddo a phelen ei lygad dde yn borffor. Roedd un daint blaen ar goll yn ei geg agored a gwaed yn rhimyn gloyw o'i wefus hyd flaen barfog ei ên. Cofiodd Ephraim am y trwyn balch a oedd gan y lleidr pan welodd ef gyntaf, trwyn fel pig eryr, wrth edrych ar y llanast di-siâp creithiog ar wyneb y dyn o'i flaen. 'Remember me?' Ysgydwodd Caleb ei ben yn araf a dechrau crio'n dawel, swigen o waed yn chwyddo o'i ffroen a byrstio. Edrychodd Ephraim ar draed y dyn truenus. 'You've still got my shoes.' Roedd gwaeth golwg arnynt na'r rhai roedd Ephraim wedi'u hetifeddu 'nôl yn llofft yr atig. Ymhen ychydig dyma Caleb yn stopio crio ac yn edrych i fyny gyda llygaid newydd arno.

Llygaid gobaith.

'You,' meddai, a'r gair yn chwibanu drwy'r twll yn ei ddannedd.

'Hallo, Caleb.' Tynnodd Ephraim ei sedd yn nes, heb godi, a gafael yn dyner yng ngên y dyn ifanc. 'You are a mess.'

Chwarddodd Caleb. 'Yes,' meddai, cyn i'w wyneb droi'n drist unwaith eto. 'They ate my dog.'

Eisteddodd Ephraim yn ôl yn ei sedd.

'Who?'

'The rats.' Poerodd y geiriau allan, ei wyneb wedi'i grebachu'n lloerig. 'Hundreds of rats.' Edrychodd yn bathetig ar Ephraim, ei wyneb yn ymlacio eto. 'I couldn't save him. They ate him.' Edrychodd i lawr ar ei draed eto a dechrau wylo, ei ysgwyddau yn dawnsio uwchben y rhaffau trwchus.

Edrychodd Ephraim ar Gunther gan amneidio'n gyflym gyda'i lygaid. Cododd y dyn mawr gan fynd i boced fewnol ei siaced ac estyn cyllell. Torrodd drwy'r rhaff a'i thynnu'n ddiofal oddi ar gorff y dyn i ddisgyn i'r cynfas.

'Caleb,' meddai Ephraim, 'Caleb, where are we? Did you notice, on the way in?'

Cododd y pen clwyfedig eto a'i ddwylo yn dod at ei gilydd mewn rhyw fath o weddi. 'Please, mister, do not kill me. Do not kill poor Caleb.'

'Did you see what they make here?' Edrychodd y dyn arno ac roedd Ephraim yn gallu'i weld yn ymdrechu i ateb. 'Shoes, Caleb, hundreds of shoes a week.'

'Shoes?' gofynnodd Caleb, yn pwyntio at hen esgidiau Ephraim am ei draed.

'Yes,' meddai Ephraim. 'Let's go out there and get you some new shoes. Yes?'

'Shoes?' Gwenodd Caleb arno a dechrau pwyntio at ei draed yn eiddgar. 'Shoes.'

Gwenodd Ephraim yn ôl arno a dweud, 'Come.' Gafaelodd yn ei freichiau a'i helpu ar ei draed. 'Gunther, hilf ihm.' Cydiodd yr Almaenwr ym mraich y llanc a rhoi ei ben mawr moel dan ei gesail. Prin bod traed Caleb yn cyffwrdd y llawr wrth i Gunther ei gario gan ddilyn Ephraim allan o'r swyddfa.

Aethant i storfa gefn y ffatri a Caleb yn wylo wrth i Ephraim ddewis pâr o esgidiau o ledr brown sgleiniog iddo a'u trosglwyddo, fel pe baent yn drysor rhyfeddol, i'w ddwylo agored.

Sylwodd fod Caleb yn awyddus i beidio â chael

cipolwg ar Gunther oedd yn sefyll y tu ôl iddo, ceisiodd ei orau i beidio â throi ond roedd y natur ddynol yn drech nag ef. Nid ymlaciodd nes i Mesut ddychwelyd a pharsel wedi'i lapio mewn papur trwchus dan ei fraich. Cymerodd Ephraim y parsel gan ddatod y cwlwm ar y cortyn gwyn.

'Neue Kleidung, for you to wear when you get clean,' meddai Ephraim, yn dangos y crys gwyn iddo, wedi'i lapio ar ben y trowsus gwlanog llwyd ar y papur.

'Für mich?' Rhythodd Caleb, ei geg yn llydan agored a'i anadl yn drewi fel carthffos er ei fod ymhellach na hyd braich oddi wrth Ephraim.

Rhoddodd Ephraim y parsel yn ôl i Mesut. 'Follow the boy,' meddai wrth y dyn pathetig yn mynwesu'i esgidiau newydd i'w fron. 'I'll see you tonight when you're wie neu.'

'Kommen Sie,' gorchmynnodd Mesut, yn pwnio'i ben i gyfeiriad y drws.

Trodd Caleb ei ben sawl gwaith i edrych ar Ephraim wrth fflewtian heibio iddo'n dilyn y llanc allan o'r storfa.

Safodd Ephraim a Gunther yn dawel yn edrych ar ei gilydd hyd nes na fedrent glywed sŵn traed y ddau ymadawedig. 'Sind Sie sicher, dass ist was Sie wollen?' gofynnodd Gunther, yn pigo'r baw dan ei ewinedd yn ddi-hid gyda blaen ei gyllell.

Anwybyddodd Ephraim y cwestiwn. 'Why did you hit him, Gunther? I said no rough stuff.'

Cododd y dyn mawr ei ysgwyddau'n ddifater, a'i amrannau yn gysglyd o drwm. 'He did not want to come.'

Ysgydwodd Ephraim ei ben arno'n geryddol.

Aeth Ephraim i'r puteindy y noson honno i weld Caleb a Madam Ebner yn rhwbio llwch y stryd yn ffyslyd oddi ar ysgwyddau'i gôt cyn ei thynnu oddi amdano; parablai'r ddynes ganol oed yn ddi-stop o'r foment y camodd drwy'r drws.

'Wie ist er?' gofynnodd Ephraim wrth roi ei gôt iddi.

'Der Stadtstreicher? He is schlafend. How you say … sleepy?'

'Sleeping,' meddai Ephraim, yn ei dilyn i lawr y coridor lliw porffor. 'Yes,' meddai Madam Ebner, yn edrych dros ei ysgwydd. 'Sleepy-ing. Wir haben ihn gefüttert und gewascht.'

'Gut. He will feel much better. Where is he?'

'In Irmas Kammer.'

Edrychodd Ephraim arni gan stopio cerdded. 'Irma's room. My Irma?'

'Ja. She has Ursula room.'

'Ursula?'

'Ja, sie ist im Irrenhaus.'

'Why? Has she lost her mind?' gofynnodd Ephraim a'i wyneb yn syn.

'Ja,' atebodd Madam Ebner fel pe bai pawb yn gwybod yr hanes am Ursula.

Nid oedd Ephraim am glywed unrhyw esboniad pellach a brasgamodd heibio'r ddynes gan anelu am y grisiau llydan yng nghanol ystafell fyw fawr llawn cwsmeriaid a phuteiniaid. Daliodd lygaid Irma a safai wrth y piano. Roedd hi'n smalio gwrando ar ddyn meddw yn chwarae'n anobeithiol o wael, ei ysgwyddau i fyny wrth ei glustiau. Pwyntiodd Ephraim i fyny'r grisiau, nodiodd Irma'i phen am eiliad a gwenu.

Dringodd yr ail set o risiau gan droi i'r chwith, cerdded heibio'r drysau caeedig ac anelu am hen ystafell Irma ar waelod y coridor. Roedd yn gallu clywed pa rai o'r merchaid oedd wedi bachu cwsmer wrth iddo gerdded heibio, sŵn rhochian y dynion a sgrechiadau ffug y puteiniaid yn mynnu'i sylw trwy'r drysau. Cerddodd at waelod y coridor a gweld drws yr ystafell olaf yn gilagored. Gwthiodd y drws yn araf a thawel a gweld y butain Lotte yn gorwedd ar ymyl y gwely wrth ochr lamp olew â'i fflam felen dila. Roedd hi'n cysgu yn ei dillad isaf rhubanog, gwyn, a phen Caleb yn gorffwys yn gegagored ar ei stumog. Rhyfeddai Ephraim sut y medrai yr un ohonynt gysgu, cymaint oedd twrw chwyrnu'r dyn ifanc.

Caeodd y drws a cherdded yr holl ffordd ar draws y puteindy i lawr ac yn ôl i fyny ochr arall yr ail set o risiau ac ymlaen i ben draw'r coridor hir. Cnociodd yn ysgafn ar y drws a gwenodd Ephraim wrth glywed llais merch, Irma annwyl, yn dweud, 'Tryd i mewn.'

Agorodd y drws a gwenu arni'n gorwedd yn noeth, yn disgwyl amdano ar y gwely dieithr. 'Tyrd,' cywirodd hi a thynnu ar ei dei aur. '*Tyrd* i mewn.'

*

Cafodd freuddwyd, ac yn y freuddwyd roedd Ephraim yn ail-fyw'r diwrnod cynt. Daeth Mesut â'r un neges iddo wrth iddo gael ei frecwast a chymerodd Ephraim yr un siwrna gyfarwydd drwy strydoedd cul hen dref Stettin tuag at y ffatri. Cerddodd tua'r swyddfa gefn drwy'r gweithdy prysur a danfon Mesut o'r stafell. Eisteddai Gunther yno'n dawel a llonydd fel craig. Cafodd yn union yr un sgwrs gyda Caleb hyd at y cwestiwn olaf ...

'Did you see what they make here?' Edrychodd Caleb arno ac roedd Ephraim yn gallu'i weld yn ymdrechu am ateb. 'Shoes, Caleb, hundreds of shoes a week.'

'Shoes?' gofynnodd Caleb yn pwyntio at hen esgidiau Ephraim am ei draed.

'Yes,' meddai Ephraim. 'Let's go out there and get you some new shoes. Yes?'

'Shoes?' Gwenodd Caleb arno a dechrau pwyntio at ei draed yn eiddgar. 'Shoes.'

Yn ei freuddwyd, gwenai Ephraim wên ddieflig arno a dweud yn dawel, 'Nein. Dim o ddifri, Caleb.' Gyda hyn rhoddodd Gunther law fawr ar dalcen y dyn bach a gafaelodd Ephraim yn dynn am ei ddwylo. Llithrodd Gunther gyllell slic ar draws ei wddf a gwyliodd Ephraim y bywyd yn araf ddiflannu yn ddychrynllyd o lygaid ofnus y dyn ifanc.

Nid oedd Ephraim yn teimlo'n falch yn ei freuddwyd, ni theimlai gywilydd ychwaith. Dyma'r drefn.

'I'll put him back under the bridge tonight,' meddai Gunther. 'The rats will eat a bigger meal, eh!' Rhwbiodd y dyn mawr ei ddwylo ar ysgwyddau marw Caleb.

'No,' meddai Ephraim. 'Take him to the cemetery, there'll be some graves dug for tomorrow, dig deeper and put him in one of those.' Gollyngodd Ephraim ei afael ar ddwylo llipa'r dyn. Cododd, trodd y goriad ac agor drws y swyddfa. Edrychodd allan ond roedd y ffatri wedi diflannu. Roedd popeth wedi diflannu gan adael tywyllwch llwyr. Düwch di-ben-draw. Trodd i edrych am Gunther ond roedd yntau hefyd wedi diflannu, a Caleb gydag ef. Roedd popeth yn ddu heblaw am y drws a'r ddolen y cydiai ynddi. Gollyngodd ei afael mewn ofn a diflannodd y drws mewn chwinciad i'r düwch tragwyddol.

Deffrodd.

'Bad dreams, meine Süsse, sei leise.' Gorweddai Irma wrth ei ochr a gosododd gadach tamp ar ei dalcen. 'Sei leise,' sibrydodd eto'n gysurlon.

'Was I talking in my …?' Nodiodd y ferch arno. 'What was I saying?' Cododd i eistedd yn y gwely, ei gorff noeth yn glynu i'r cynfasau.

'I did not understand,' meddai'r butain. 'So etwas wie …'

'Something like what?'

' "Sgidia mwnci", und "paid Gunther".' Rhoddodd Irma sigarét rhwng ei wefusau a'i thanio â fflam a saethai o ben arth fawr ddu ar y taniwr pres addurniadol.

'Danke,' meddai Ephraim, ei dalcen wedi rhychu gan syllu i mewn i dywyllwch yr ystafell borffor.

*

Fis yn ddiweddarach cerddodd Ephraim i mewn i'w swyddfa yn Der Schlaue Fuchs gyda'r wawr a chael braw o weld Herr Mauser yn eistedd, tu ôl i'w ddesg, yn yr hanner gwyll.

'Mawredd!' ebychodd Ephraim, yn dal i gydio yn

nolen y drws, yna chwipio'i het oddi ar ei ben yn reddfol ac ychwanegu yn ddibwrpas, 'Herr Mauser.'

'Haim, komme und schleiß die Tür,' meddai'r Almaenwr yn dawel, a hanner gwên ar ei wyneb gwelw.

Caeodd Ephraim y drws ar ei ôl. 'Das ist eine Überraschung, Herr Mauser,' meddai gan godi'i aeliau.

'I came in late last night,' parhaodd Herr Mauser a chodi ei law wrth i Ephraim gydio mewn cefn cadair. 'Don't sit, Haim, I won't halten you for very long.' Gwasgodd switsh ar y lamp ar ymyl y ddesg gan daflu hanner ei wyneb i'r cysgodion. Eisteddodd yn ôl yn y gadair gan ddiflannu'n llwyr i'r tywyllwch cymharol. Gwasgodd Ephraim ei lygaid yn dynn yn erbyn y llewyrch. Clywodd Herr Mauser yn ochneidio'n theatrig o araf, ei wyneb ar goll yn y düwch. 'Are you a religious man, Haim?' Cyn iddo gael cyfle i ateb, dywedodd wedyn, 'I frequentieren a Lutheran church in Berlin, sometimes twice, every Sunday. I went to the church here also. Before. I shake hands with the priest and I give my donation, grosszügige Spende, very generous. I talk to the other worshippers, and smile. I take my wife and my children, meine Kleinen. Do you go to church, Haim?'

'Not here, Herr Mauser,' atebodd Ephraim, yn syllu'n daer drwy'r golau i mewn i'r düwch o hyd.

'Back home we are nonconformist Calvinistic Methodists.'

'But not here, your religion does not sail across the water?'

Ysgydwodd Ephraim ei ben, wedi drysu. 'I'm not …'

'Do you believe in Gott, Haim?

'God?'

'Yes. Glauben. Do you have faith?'

'There is a God, of cour- …' dechreuodd Ephraim.

'There is no God,' tarfodd Herr Mauser arno, ei lais yr un mor bwyllog a rhesymol. 'This is a nonsense. A trick. People are stupid and afraid, so they Glauben, they believe. When you spared that boy's life, were you afraid of your God, Haim?'

'Herr Mauser?'

'Der polnische Junge. Who you have given shelter to in my Hurenhaus. Who you allow to sleep with the Huren, and eat their food.'

'He works …'

'Aahh. He works for me, this Polack?'

'He guards the door for Madam Ebner, and cleans. Brushes the floors …'

'No, Haim, this boy does not work for me.' Pwysodd Her Mauser ymlaen yn ysgwyd ei ben yn araf. Rhoddodd ei law chwith ar ei ên. 'This boy, he took from you, is this correct?'

Nodiodd Ephraim.

'And you found him living with the rats. Er ist Ungezeifer. This man who had stolen your shoes and your money. Then you give him new shoes. You clothe him and feed him. Der polnische Junge. You become his God.'

'He is a good ...'

'Did you see the Zeitungen yesterday?'

'The newspaper, Herr Mauser?'

'Yes Haim, the news. The new news. They killed the Austrian. His wife also. *Das Attentat in Sarajevo*. That's what it said. This will end badly. You understand?'

'You think Austria will declare war on Serbia?'

'And Russland. Then we will be at war with die Russen. France will side with Russland. Und die Engländer? What do you believe, Haim?'

Ysgydwodd Ephraim ei ben, 'I do not know, Herr Mauser.'

'You are not Engländer, you are ein Waliser.'

'Ja, Herr Mauser.'

'But you are not apart from England. Your little Altersrente Minister, Herr George, is a Waliser. Ja?'

Cofiodd Ephraim, mwyaf sydyn, am ei ffrind Huw. Y ddau yn gorwedd ar eu gwlâu yn y cwt chwarel yng Nghroesor a Huw yn adrodd hanes mynd gyda'i dad i Gaernarfon ac yn gweld Lloyd

George, fel pregethwr mawr y Diwygiad, yn areithio o flaen torf anferth. 'Ja, Herr Mauser.'

Pwysodd Herr Mauser yn ôl i'r cysgodion, yna cododd ei law dde, yn amlwg yn gafael yn rhywbeth a'i godi uwchben y ddesg. Rhoddodd ei law i orwedd o dan lewyrch y lamp, roedd yn cydio mewn dryll du, ei fys ar y taniwr. 'Tell me, when does Gunther ankommen?'

Atebodd Ephraim, gan wrthsefyll yr awydd greddfol i gymeryd cam yn ôl ac i godi'i ddwylo. 'He comes in later, Herr Mauser, when we open around eight.'

'Eine Stunde, one hour. You have been a good worker, Haim. But now you must leave.'

'Herr Mauser?'

'You must leave Stettin, leave Deutschland.' Rhoddodd watsh boced ar y bwrdd, ei chlawr aur yn agored a'i hwyneb yn amlwg dan olau'r lamp. Roedd hi'n ddeng munud i saith. 'You have one hour.'

Rhuthrodd ias ryfedd drwy berfedd Ephraim wrth iddo sylweddoli mai dyma'i watsh boced a werthodd ychydig oriau cyn cyfarfod Mauser am y tro cyntaf dros flwyddyn ynghynt. 'How …?' dechreuodd ofyn ond ddaeth dim mwy o eiriau.

'Information ist Macht. Wissen ist Macht. Knowledge, my friend, is power. You are to take this.' Rhoddodd Herr Mauser amlen wen drwchus ar y bwrdd a gosod y watsh arni, yna'i gwthio ar draws y ddesg. 'In one hour I will tell Gunther to find you. You must leave now.' Pwyntiodd y dryll tuag at Ephraim cyn amneidio gyda'i faril tuag at yr amlen ar y bwrdd. 'Take it.'

Camodd Ephraim ymlaen a chymeryd yr oriawr a'r amlen. 'Warum, Herr Mauser? Why did you let me in? Darf ich fragen?'

Pwysodd Herr Mauser ymlaen a'r dryll yn codi'n nes fyth at gorff Ephraim. 'You should have killed the Polack. Aufwiedersehen, Haim, und viel Glück.'

Rhoddodd Ephraim yr amlen ym mhoced ei drowsus ac edrych ar y watsh, pum munud i saith, yna'i chau a'i chadw ym mhoced ei wasgod sidan. 'Meine Sachen?'

'Leave everything. Do not go to see die Hure. Her name is Irma, ja? Leave her. Leave everything.'

Nodiodd Ephraim cyn taro'i het ar ei ben, troi a gadael y swyddfa. Roedd yn hanner disgwyl clywed y dryll yn ergydio yn ei gefn. Ddigwyddodd dim. Caeodd y drws ar ei ôl a gweld golau'r lamp yn diffodd drwy'r hollt hir oddi tano.

*

Erbyn yr wyth o'r gloch roedd Ephraim yn eistedd yn y cerbyd dosbarth cyntaf ar y trên i Berlin. Teimlai y dwy fil marc ym mhoced ei drowsus yn gwasgu yn erbyn ei glun. Swm cyfatebol i ryw gan punt 'nôl ym Mhrydain.

Cant o bunnoedd.

Ysgydwodd ei ben eto, heb ddallt o hyd paham fod Herr Mauser wedi bod mor wirion o hael. Nid oedd ganddo ddim ond yr arian a'r dillad roedd yn eu gwisgo, ond gwyddai ei fod yn ddyn hynod o lwcus. Pe buasai Gunther neu un o'i hanner dwsin o labystiaid wedi'i ddal cyn iddo adael Stettin bysa'i gorff yn llosgi'n golsyn yn un o ffwrneisi dur Herr Mauser ger y dociau erbyn hyn. A'r dwy fil marc ym mhoced Gunther hefyd, meddyliodd gan ddechrau chwerthin wrtho'i hun.

Syllodd dynes drwsiadus gyferbyn arno, ei hwyneb yn chwyrn. Tagodd Ephraim i'w ddwrn cyn rhoi ei ben i lawr.

Cyrhaeddodd Berlin cyn amser cinio ac aeth yn syth i'r banc agosaf lle newidiodd draean o'r arian i bunnoedd a thraean arall yn ffrancs. Aeth yn ôl i'r orsaf a phrynu tocyn i Frankfurt. Arhosodd noson yn y Steigenberger Frankfurter Hof, gwesty moethus nad oedd yn rhy bell o'r orsaf. Erbyn amser cinio drannoeth roedd yn teithio ar gledrau'r Swistir a'r noson honno arhosodd yn yr Hotel d'Angleterre yng Ngenefa.

Ac felly treuliodd wythnos yn dilyn ei drwyn i lawr canol Ewrop ac aros yn y gwestai gorau yn Lyon a Marseilles cyn penderfynu mynd tua'r gorllewin i Bordeaux. Arhosodd yno am rai wythnosau, y ddinas borthladd yn ei atgoffa o Stettin gyda'i phrysurdeb masnachol ar lan afon Garonne lydan. Hoffai'r gymysgfa bensaernïol rhwng yr hen dref dywyll a'r ddinas fodern newydd, nid oedd yn annhebyg i'w gartref diweddar i fyny ym mhen arall y cyfandir.

Ac roedd hi'n boeth. Yn fis Awst chwilboeth ac Ewrop gyfan yn berwi wrth baratoi am ryfel.

Treuliodd Ephraim ei ddiwrnodau'n crwydro'r ddinas yn siopa am ddillad newydd ac yn bwyta'r bwyd gorau iddo'i flasu erioed. Dilynodd arfer y bobl o bendwmpian drwy'r prynhawniau 'nôl yng ngwesty L'invitation wrth y Pont-de-Pierre. Gyda'r nos hoffai fwyta'n hwyr cyn rhoi cynnig ar y byrddau siawns yn y Casino de Vichy. Nid oedd yn mentro ryw lawer ac ni fyddai byth ar ei ennill o fwy na rhyw ugain ffranc, ychydig llai na phunt. Ni fyddai'n colli llawer chwaith. Er na fu'n yfed pan oedd yn byw yn Stettin roedd erbyn hyn wedi magu blas at y gwin coch lleol. Un noson, ac yntau wedi meddwi ryw ychydig, fe'i dilynwyd adref yn oriau mân y bore yr ychydig gannoedd o lathenni ar hyd yr afon i'w westy. Er bod ei gyflwr yn simsan synhwyrai fod rhywun y tu cefn iddo a throdd ar ei sawdl mewn pryd o'r mymryn lleiaf, yn union fel roedd mygiwr yn chwifio'i bastwn tuag at ei ben. Wrth i Ephraim gamu i ffwrdd oddi wrth y bygythiad, gyrrwyd yr ymosodwr gan ei bwysau ar ei wyneb lawr i'r pafin. Safodd drosto, y dyn bach yn ddiymadferth ar y llawr caled. Aeth Ephraim i'w boced a thynnu darn arian ugain ffranc, gyda'i geiliog aur yn falch ac yn fawr arno, a'i luchio'n canu nodyn cain ar y corff.

Eisteddodd i fyny yn ei wely tamp y bore drannoeth, wedi'i ddeffro unwaith eto gan un o'i hunllefau di-baid, a chwerthin wrtho'i hun wrth gofio'r mygiwr da i ddim y noson cynt.

'Amser symud 'mlaen,' meddai wrtho'i hun, estynnodd sigarét a rhwbio'r pwll o chwys rhwng ei asennau i sychu'n oer a braf ar ei frest noeth.

Wythnos yn ddiweddarach deffrodd Ephraim mewn ystafell wely foethus ym mhlasty Syr Arnold Huxton ar gyrion dinas Bilbao yng ngogledd Sbaen. Derbyniodd swydd gan Syr Arnold i weithio fel is-reolwr yn ei ffatri ddur, y fwyaf yn y ddinas, ar ôl noson hir o chwarae cardiau yn yr Hotel Términus ar y Plaza Circular de Bilbao. Nid oedd yn siŵr a oedd y cynnig yn ddilys y bore wedi gwin y noson cynt ond roedd cyfarchiad cynnes Syr Arnold i lawr wrth y bwrdd brecwast yn ei ddarbwyllo bod ganddo swydd newydd yn wir.

'Ephraim, my boy. Come, fill that flat stomach of yours,' bloeddiodd y bonheddwr corffog, fel pe bai wedi bod yn yfed dŵr claear drwy'r noson flaenorol yn hytrach na'r Rioja du-borffor.

'Good morning,' meddai Ephraim, yn ymwrthod â'r awydd i roi ei fysedd oer ar ei dalcen curiedig.

'Ready for your first day, my boy?'

'First day of what, sir?'

'Work! Eph-raim, work dear boy.' Cododd Syr Arnold ar ei draed a lluchio'i napcyn mawr ar y llestri brecwast. 'Inform Edmund as to your needs – eggs, bacon, whatnot, and I'll meet you down there.' Gyda hynny brasgamodd Syr Arnold allan o'r ystafell, a chi potsiwr mawr llwyd-ddu'n ymddangos i drotian yn ufudd wrth ei glun. Safodd Ephraim yno wrth y bwrdd mawr derw am amser hir yn hel meddyliau, yna cafodd fraw o glywed pesychiad annisgwyl yn ei glust. Trodd a gweld y gwas, Edmund, yn sefyll yn erbyn y wal tu cefn iddo.

'Helo,' meddai Ephraim.

'What would sir like this morning?' holodd Edmund.

'Just coffee,' meddai Ephraim. 'Thank you.'

*

'Egun on,' cyfarchodd Ephraim yn uchel yn yr iaith frodorol, uwchben twrw'r gwylanod, yn codi'i het wellt at y pysgotwyr Basgaidd, eu llong yn pwffian allan o'r porthladd i'r Ria de Bilbao o ochr Santurtzi i afon Nervión.

'Ikusiko dugu tabernan du gaur gauean?' bloedd iodd y pysgotwr, Erramun, trwy'i farf drwchus a chydio yn y rheilen. 'Eh? Welshman?'

Chwifiodd Ephraim ei het ato a dal ei ben gyda'i law arall yn ystumio bod ganddo gur pen. Nid oedd am fentro allan gyda'r Basgwyr ddwy noson yn olynol, er cymaint roedd yr hwyl a'r canu angerddol yn ei atgoffa o Gymru. Cerddodd ymlaen ar hyd y cei hir yn dilyn y llong bysgota ac yn anelu am warws mawr y cwmni. Gan mai yma yn Santurtzi roedd ei waith, a'i swyddfa, yma hefyd roedd ei gartref yn ystod yr wythnos. Ystafell rent yn y dref borthladd fechan ychydig filltiroedd o ffatrïoedd Syr Arnold yn y ddinas. Ei ddyletswyddau yn benodol oedd sicrhau bod y dur yn cael ei gofrestru a'i drosglwyddo'n brydlon a chywir o'r warws ar y cei i'r llongau cludo anferth.

Safai'r fforman, Hernandes Garza, wrth ddrysau agored anferth y warws, ei glipfwrdd yn ei law i gofnodi presenoldeb y gweithwyr. Nid oedd Ephraim yn rhy hoff o'r Sbaenwr cysetlyd, nac yntau ohono ef.

Tynnwyd sylw Ephraim gan sgwner yn hwylio i fyny'r afon ac yn anelu am yr harbwr tu cefn iddo. Sylwodd ar ei henw, *Ellen Roberts*, ac fel oedd ei arfer yn ystod y deng mis ers iddo gyrraedd Bilbao penderfynodd fynd i holi'r llong Brydeinig yr olwg am unrhyw newyddion. Cododd law lugoer i gyfeiriad y fforman a throi ar ei sawdl yn chwibanu i mewn i'r awel gynnes wrth ddilyn yr *Ellen Roberts* i fyny afon Nervión. Bron nad oedd o'n gallu teimlo llygaid Garza'n llosgi tyllau fel chwyddwydr yng nghefn ei ben wrth iddo fynd.

Eisteddodd ar bwys y cei am hanner awr yn gwylio'r sgwner yn cadw'i hwyliau ac yn docio wrth wal ddwyreiniol y doc. Arhosodd bum munud arall nes bod y gwaith prysur o gadw'r rhaffau a chlirio'r deciau wedi'i gwblhau, yna mentrodd i fyny at ymyl yr *Ellen Roberts*.

'Chi'n hwylio allan o rywla yng Nghymru?' gofynnodd i'r llabwst o forwr yn gwasgu rhaff drwchus dros y clymbost gwyn swmpus ar y cei.

Cododd y morwr ei ben a chiledrych ar Ephraim cyn ailgydio yn ei waith gan ofyn, 'Pwy sy'n holi?'

'Ephraim Pritchard, rheolwr warws yr Huxton Ironworks yma yn Santurtzi.' cynigiodd ei law, 'Fysach chi'm yn credu mor dda ydi clywed rhywun yn siarad Cymraeg ...'

'Dwi'n fawr o siaradwr, gyfaill,' atebodd cyn troi

ei gefn ar Ephraim a cherdded 'nôl tuag at ganol y sgwner.

'Oes 'na unrhyw newydd o'r rhyfel?' holodd gefn llydan y morwr.

Anwybyddodd y morwr y cwestiwn ond dyma ddyn arall yn pwyso ar reilen ochr y sgwner yn ateb gyda'i gwestiwn ei hun, 'Hogyn o'r gogledd wyt ti, ia was?'

Edrychodd Ephraim arno a chael ei ddallu am eiliad gan yr haul yn codi y tu cefn i'r morwr. Cysgododd ei lygaid rhag yr haul gyda'i law a dweud, 'Ia, Corris. Ti o Ben Llŷn?'

'Pwllheli, was. Be ddiawl ti'n neud i lawr yn fama?'

'Dwi'm yn siŵr, fy hun, gyfaill,' meddai Ephraim, yn crafu'i ben ac yn chwerthin.

'Hei, hogia,' gwaeddodd y morwr dros ei ysgwydd. 'Hogyn o Gorris, ar goll, yn fama.'

'Dwi'n gwbod lle'r ydw i,' datganodd Ephraim. 'Ddim yn siŵr pam dwi yma dyna i gyd.'

Gwelodd ragor o ddyrnau'n cydio yn y rheilen ac wynebau'r criw yn amlygu'u hunain iddo o'r sgwner. 'Pa long?' gofynnodd un. 'Ar goll? Bell ar y diawl o Gorris,' meddai un arall.

'Dim ar long na chwch ddes i yma,' atebodd Ephraim. 'Gweithio i'r cwmni dur ydw i. Dwi ddim ar goll. Pa newyddion o adra, 'ogia?'

'Ma petha'n flêr yn y Dardanelles, meddan nhw,' meddai'r morwr cynta, ei wyneb yn hir.

'Lle ma fanno?' gofynnodd Ephraim.

'Draw yn y dwyrain, yn rwla,' atebodd un arall. 'Smonach, meddan nhw.'

'O,' meddai Ephraim a sylwi ar yr un byrraf o'r hanner dwsin o forwyr wedi casglu wrth y rheilen. 'Dwi'n nabod chdi,' meddai'n pwyntio tuag at y dyn barfog, gyda thrwyn mawr fflat a bochau porffor.

'Fi?' meddai'r morwr, yn rhoi'i law ar ei fron. 'Nabod dim arnach *chi*, gyfaill.'

'Y *Mary Lloyd*,' meddai Ephraim, a dal i bwyntio. 'Yn Stettin, agos i ddwy flynedd yn ôl.'

'Sut gwyddost ti hynna?' pwysodd ei ben i'r chwith a syllu'n ddrwgdybus ar Ephraim.

'Fi oedd y dyn sâl ddaru lusgo'i hun oddi ar y sgwner. Cofio?'

'Y chwarelwr o Port? Nid chdi ydi o, siawns?'

*

Eisteddodd y ddau'n sgwrsio am amser ar fariau ochr y cei yn smocio sigaréts, yr haul wedi codi digon i beri iddynt chwysu wrth wneud dim. 'Fuon ni gyd allan yn chwilio amdanach chdi, drw'r dydd a'r gyda'r nos y dwrnod hwnnw. Dim golwg ohonach chdi.'

'Doeddwn i'm o gwmpas fy mhethau, ddyliwn i ddim bod wedi diflannu fel yna.'

'Rhoddodd Roberts, y capten, gyflog mis yn fy llaw bore drannoeth ...' dangosodd y morwr gledr ei law i Ephraim, '... cyn fy hel oddi ar y *Mary Lloyd* a hwylio am adra. 'Y ngadael i yno, diawl o beth.'

'Mae'n ddrwg gynna i.'

'Diawl, does dim ots, gyfaill. Ma hon yn well sgwner o dipyn, criw da o hogia.'

'Dudwch wrtha i, Meredydd, paham oeddwn i ar y *Mary Lloyd* yn y lle cynta?'

'Oherwydd y cwffio, siŵr iawn.' Edrychodd y morwr Meredydd arno'n syn. 'Wel, roedd hi'n fwy o frwydr na chwffas. Bron i ni dy golbio di i fedd cynnar. Camddallt, ti'n gweld.'

'Ar y cei llechi yn Port.' Nodiodd Ephraim. 'Dwi'n cofio'r ymryson, a rhyw gof o ddynion yn ymddangos o nunlle ac yn fy nharo i'r llawr ...'

'Ni oedd rheina, criw'r *Mary*, meddwl mai chi oedd y lladron, ond wedi mynd i helpu ...'

'Fy ffrind? Be ddigwyddodd i Huw?' Sylweddolodd Ephraim gyda syndod wrth grybwyll enw Huw nad oedd prin wedi meddwl am ffawd ei gyfaill ers y dyddiau cynnar yno 'nôl yn Stettin.

'Hwyliodd o hefo ni allan o Borthmadog i lawr y bae a rownd i Gaerdydd. Aeth dy ffrindiau di i ffwrdd ar y dociau, welis i mohonyn nhw eto wedyn.'

'Ffrindia?'

'Ia, yr Huw yna a'r llipryn gwelw arall, dwi'm yn cofio'i enw fo.'

'Cledwyn.'

'Dyna fo, ma nhw wedi ffeirio'r llechen am y garreg ddu, dybiwn i.'

'Pam na adawais innau'r sgwner yng Nghaerdydd, gyda'r ddau arall?'

'Am dy fod ti'n ddyn gwael, siŵr iawn. Y bwriad oedd disgwyl nes dy fod ti 'nôl ar dy draed, wedyn dy ollwng yng Nghaerdydd ar y ffor' adra. Ond wedyn dyma chdi'n *jump ship*, yn'do?'

'Be ddigwyddodd i'r 'sbeilwyr, Meredydd? 'Nôl yn Port.' Gollyngodd y mygyn ar lawr a'i ddiffodd gyda'i sawdl wrth holi.

'Paid â gofyn, gyfaill. Paid â gofyn.'

'Dwi *yn* gofyn. Byswn yn ddiolchgar pe bawn i'n derbyn ateb.'

'Tydi pethau ddim yn mynd yn dda i ladron ar y môr, Ephraim. Felly hefyd os ydi rhywun yn penderfynu manteisio ar forwyr meddw ar y tir mawr … os ydyn nhw'n cael eu dal hynny yw.'

'Felly?'

'Mae'r môr yn gallu bod yn ddu, Ephraim, yn ddu a di-ben-draw.'

Nodiodd Ephraim a'r ddau'n syllu ar eu hesgidiau am amser hir. 'Pryd a phle nesa i'r *Ellen Roberts* a'i chriw?' gofynnodd Ephraim o'r diwedd, yn sefyll ac yn rhwbio'r llwch sigarét oddi ar ei drowsus ysgafn.

'Gollwng y glo a llwytho'r dur, yna 'nôl i Southampton ganol wsos.'

'Oes 'na le i chwarelwr afradlon arni, chi'n credu?' gofynnodd Ephraim, yn cynnig ei law i'r morwr bychan.

Cymerodd Meredydd ei law a chodi i sefyll. 'Ma 'na ryfel adra, gyfaill. Ti 'di ca'l lle da yn Sbaen boeth, dybiwn i.'

'Dyna'r peth,' meddai Ephraim Pritchard. 'Mae hi'n rhy boeth yma i hogyn o Gorris.'

V

' "The Commander in Chief has just visited the corps commander …" ' Er bod Lefftenant-Cyrnol Carden yn cydio'n dynn yn y darn papur yn ei ddwy law, un llaw ar ei ymyl uchaf a'r llall ar ei waelod, wrth ddarllen roedd Ephraim yn gallu gweld corneli'r papur yn crynu fel adenydd glöyn byw. ' "… and has impressed upon him the great importance of the occupation by us of Mametz Wood …" ' Trodd Ephraim i ffwrdd oddi wrth y swyddog, a'r awel gref, i aildanio'i sigarét yng nghysgod ei ddiwnig hanner agored. Safai'n ddigon agos i allu clywed y datganiad ond hefyd yn ddigon pell fel ei fod eisoes wedi'i glywed gan Lefftenant-Cyrnol Hodson o'r 14th Welsh draw i'r dde iddo. ' "The corps commander requests that the division and brigade commanders will point out to the troops of the Welsh division the opportunity offered them of serving their King and Country ..." ' Chwarddodd Ephraim wrtho'i hun a dyma Ben Watkins wrth ei ochr yn rhoi pwniad ysgafn i'w fraich, dal ei drwyn rhag iddo yntau hefyd chwerthin, ac edrych arno'n llechwraidd. ' "... at a critical period and earning for themselves great glory and distinction." ' Rhoddodd Lefftenant-Cyrnol Carden y papur i'w gadw yng ngwregys ei diwnig cyn ychwanegu, yn ei lais naturiol, 'That is all, men.'

'Ti'n ddylanwad drwg, Pritch,' meddai Ben Watkins, yn codi'i freichiau a rhowlio'i ysgwyddau cyn dylyfu gên yn rhodresgar.

'Eitha sarhaus gyrru neges fel 'na, ti'm yn meddwl?' Ysgydwodd Ben Watkins ei ben, ei wyneb yn wag. 'Fel ca'l dy bwnio gan bren mawr hir i mewn i bwll mawr du. Digon hawdd iddyn nhw 'nôl fanna yn HQ, tydi?'

'Sbo,' atebodd Ben Watkins, prin yn gwrando.

Edrychodd Ephraim ar ei oriawr, tri o'r gloch, hanner awr nes bod y gynnau mawr i fod i gychwyn ar eu gwaith eto. Awr cyn i'r 16th RWF ddechrau ymosod ar ymyl isaf agosaf y goedwig fawr. Roedd y 14th Welsh drws nesaf iddynt yn disgwyl er mwyn ymosod ar ganol ymyl dwyreiniol coedwig Mametz a'r 13th Welsh yn uwch i fyny eto yn barod i ymosod ar yr ymyl uchaf wrth yr Hammerhead.

'Diolch byth nad ydan ni hefo'r 13th,' meddai Ephraim, yn meddwl am y gynnau peiriant yn bwrw'u metel i lawr ar y milwyr o'r Hammerhead. 'Diawliaid druan.'

'Sbo.'

Goleuid ffos lydan White Trench gan res o lampau ar y waliau uwchben helmedau'r cannoedd o filwyr wedi'u casglu yno'n barod am y frwydr. Atgoffwyd Ephraim o neidr ddu welodd unwaith pan oedd yn blentyn 'nôl yng Nghorris wrth iddo sefyll ar ben y llethr ysgafn ac edrych i lawr ar y 16th RWF, yr helmedau'n symud yn wiberol wrth i'r llinell nadreddu i lawr ac i'r chwith allan o'i olwg.

''Nes di sgwennu …?' gofynnodd Ephraim trwy fwg ei sigarét, ei lygad dde ar gau.

'Mam a Mam-gu. Gair o goodbye, ti'n gwbo'?' Dyma Ben Watkins yn snwffian ac yn llusgo'i lawes i sychu dan ei drwyn. Nodiodd Ephraim. Rhoddodd Ben Watkins sigarét yn ei geg a gofyn, 'Tithe?'

'Na.' Gwenodd Ephraim ar y stwcyn bragwr bach

a meddyliodd am ei fam, nad oedd wedi'i gweld ers blynyddoedd. 'Neb.'

Cododd Ben Watkins ei ysgwyddau a dweud, 'Ti'n lwcus.' Amneidiodd dros ysgwydd Ephraim gyda'i ên. 'Shgwla ar Emyr draw fan 'co.'

Trodd a gweld Emyr Jones, y glöwr mawr, yn eistedd mewn twll ac yn pwyso yn erbyn wal y ffos, ei helmed dros ei lygaid. Roedd ei goesau wedi'u plethu o'i flaen a'i freichiau wedi'u plygu dros ei frest. 'Dal amser am gyntun bach, am wn i,' meddai wrth Ben Watkins a hwnnw'n ysgwyd ei ben a golwg anghrediniol ar ei wyneb bach crwn.

Clywyd sŵn canu yn cychwyn ymhell i lawr y lein, a'i don yn chwyddo yng nghlustiau Ephraim a chodi'n uwch a chrwydro'n nes.

'... olud bydol,
Adain buan ganddo sydd;
Golud calon lân rinweddol
Yn dwyn bythol elw fydd.'

Erbyn cyrraedd y gytgan roedd pawb o'u cwmpas, ar wahân i Emyr ac Ephraim, yn canu a chlywai'r gân yn rhuthro fel tân gwyllt i fyny'r lein tu hwnt iddynt. Daeth ias i ddawnsio i fyny ac i lawr ei gefn wrth iddo wrando a'i geg yn ynganu'r geiriau cyfarwydd yn ddiarwybod iddo. Dringodd y geiriau yn uwch ar yr awel i hongian ar yr awyr dywyll uwchben y ffos hir.

Roedd lleisiau'r côr gwneud yn berffaith, yn alarus ac yn obeithiol. Yn drist, ond hefyd dyma oedd y sŵn hyfrytaf i Ephraim ei glywed erioed tybiai. Teimlodd y croen yn cochi a thynhau wrth esgyrn main ei fochau a dagrau'n cronni yn ei lygaid tywyll.

Ymhen ychydig ailymddangosodd y lefftenant-cyrnol wrth waelod y llethr a safodd yno'n cydio yn ei ffon grand ac aros i'r dynion ddarfod y pedwerydd neu'r pumed emyn.

> '... â'm Iesu mawr:
> O! am aros
> Yn ei gariad ddyddiau f'oes.'

Cododd Lefftenant-Cyrnol Carden ei ffon, ei dolen arian yn disgleirio yng ngolau'r lamp, gan syllu o gwmpas ar wynebau gwelw milwyr y 16th RWF. Daeth distawrwydd rhyfeddol i gymeryd lle'r canu. Mewn llais cryf a'r geiriau bob yn un yn ymddangos fel ysbrydion yn yr awyr glaear, dywedodd, 'Boys, make your peace with God. We are going to take that position ...' Pwyntiodd ei ffon hudlath dros wal White Trench, '... and some of us won't come back.' Rhoddodd ei ffon dan ei gesail ac meddai ei lais yn gadarn fel craig, 'But we *are* going to take it.'

Yn y distawrwydd dilynol clywodd Ephraim y lefftenant-cyrnol nesa i fyny'r lein yn cwblhau araith debyg ar gyfer y 14th Welsh. Yna dechreuodd yr ordnans, y tanio, ymhell tu ôl i'r dynion a'r ffrwydro ychydig o'u blaenau ar ymyl y goedwig. Dwndwr dinistriol yr 18 pounders.

Edrychodd Ephraim ar y wiber fawr yn y ffos yn llonyddu ac aros i wrando ar y bomio, a mwg catiau baco a sigaréts yn codi fel ager trwy'i chroen cennog.

'Unrhyw gyngor, Pritch?' holodd Ben Watkins, yn ysgwyd sigarét allan o'i baced Wild Woodbine a'i chynnig i Ephraim.

Ysgydwodd ei ben wrth dderbyn y rhodd gan gwpanu'i ddwylo o amgylch y mwgyn a disgwyl fflam gan ei gyd-filwr. Daliodd Ben Watkins ei daniwr yn ddi-fflam dan drwyn Ephraim am rai eiliadau cyn i Ephraim, o'r diwedd, edrych arno. Roedd y bragwr bach yn amlwg am gael ateb i'w gwestiwn cyn tanio'r tybaco. Ochneidiodd Ephraim wrth dynnu'r mwgyn gwyn o'i geg. Beth uffar' dwi'n 'i wybod, meddyliodd Ephraim, ond mentrodd ddeud, 'Paid â bod gynta, a paid â dilyn yn rhy agos at y blydi officers, beth bynnag ti'n neud.' Rhoddodd y sigarét 'nôl yn ei geg ond roedd y bragwr yn sefyll yno'n edrych arno'n ddifynegiant fel delw. 'A phaid ag oedi, ni gyd yma heno i ladd dynion, dyna'r gwaith. Rwan tania'r diawl peth, neno'r Tad.'

*

'Aros yn llonydd, aros yn llonydd,' bloeddiodd Ephraim gan roi'i holl bwysau ar draws corff Ben Watkins, oedd yn crynu'n ddirdynnol ar ymyl llawr twll y ffrwydryn. Llusgodd ei hun i fyny gerfydd ei diwnig nes ei fod wyneb yn wyneb â'r bragwr wrth i'w ddawns farwolaeth ddod i ben. Edrychodd i'w lygaid hanner agored, golwg cwbl anghyfarwydd a phell ar ei wyneb gwelw. Fel pe bai wedi'i synnu'n llwyr gan rywbeth. 'Ben?' meddai Ephraim gan godi strap gwddf ei gyfaill a thynnu'i helmed. Gafaelodd yn ei ên ac ysgwyd ei ben llipa i'r dde a'r chwith. 'Ben? Ty'laen. Ben?'

Crynodd y ddaear oddi tanynt wrth i'r bomiau lanio o'u cwmpas ac yn y goedwig uwch eu pennau. Clywodd Ephraim y prennau a'r metel yn chwibanu wrth wibio heibio uwch ei ben. Gwthiodd ei hun oddi ar gorff y bragwr heb godi'i ben i edrych arno. Cydiodd yn helmed Ben Watkins a'i gosod am ei ben yntau; collodd ei helmed rywle rhwng White Trench ac ymyl y goedwig.

Eiliadau cyn i'r ffrwydriad yrru'r ddau ohonynt i'r llawr roeddynt wedi gweld Lefftenant-Cyrnol Carden yn disgyn yn gelain i gyfeiliant ergydiol, nerthol y gynnau peiriant, lathenni'n brin o goedwig Mametz. Roedd Ben Watkins wedi rhuthro yn reddfol i fyny'r bryn bach tuag at y lefftenant-cyrnol fel roedd yr ordnans Prydeinig yn arallgyfeirio 'nôl i flaen y gad o'r cefn. Rhybuddiwyd y dynion ynghynt gan y sarjant mai dyma fysai'r drefn. Bomio ymyl y goedwig gyntaf, yna anelu at ail linell y gelyn tuag at gefn y goedwig, gan obeithio denu'r gelyn allan o'r ffosydd. Dyma drydedd ran y cynllun, bomio'r blaen eto ychydig cyn i'r milwyr fynd i'r goedwig gan ddinistrio safleoedd gynnau peiriant y gelyn a gwneud eu gwaith gymaint yn haws. Ond roedd hanner yr ordnans yn glanio'n fyr o'r goedwig ac yn bwrw'u shrapnel ar y gatrawd Gymreig. Nid oedd modd gwneud dim ond aros i'r gawod erchyll ddod i ben.

Awr yn ddiweddarach, a'r 18 pounders o'r diwedd wedi darganfod eu pellter cywir, daeth stop i'r dwndwr oddi isod a chododd Ephraim ei ben a sylwi bod twrw'r ffrwydriadau yn ymbellhau i lawr y lein. Roedd y coed yn y goedwig drwchus wedi'u dryllio ac yn gorwedd ar bob ongl gan greu patrwm hyfryd ar hap yn erbyn llwydni'r awyr gynnar. Edrychodd i'w ochr dde ar gorff Ben Watkins, ei wyneb llwydlas yn lleuferu'n olau drwy'r mwrllwch boreol. Ysgydwodd ei ben a lleisiau'r 16th RWF yn bloeddio ac yn boddi sŵn chwibanau'r swyddogion wrth iddynt godi o'u cuddfanleoedd ac ymosod ar y goedwig. Twrw gynnau peiriant yr Almaenwyr yn fwy gwasgarog ac ysbeidiol yn awr a thwrw main gynnau Lewis y 16th yn fwy amlwg a chyson.

Arhosodd Ephraim ar ei gefn yn ei dwll yn cydio yn ei reiffl, edrychai ar lwydni undonog yr awyr. Nid oedd arno ofn.

Arhosodd.

*

Arhosodd.

Dim ateb, cnociodd eto ar y drws. Agorodd ffenest llofft agosaf y tŷ teras drws nesa, a phen hen wraig yn dilyn.

'You people don't listen do you?' meddai'r wraig, ag un dant herfeiddiol yn hongian o do ogof dywyll ei cheg fawr.

'Sori?' meddai Ephraim, yn edrych i fyny ac yn tynnu'i het.

'He's gone, she's gone. Everybody. Place is empty, man.'

Ysgydwodd Ephraim ei ben a gofyn, 'Dach chi'n siarad Cymraeg?'

''Thgwrs 'ny,' atebodd y ddynes mewn fflach. 'Gog y'ch chi?'

'Chwilio am Huw Evans,' meddai Ephraim yn edrych i fyny ac i lawr y stryd dawel, neb o gwmpas heblaw am hen gi yn eistedd ar ymyl y pafin gyferbyn yn crafu'i ên gyda'i bawen ôl.

'Gog arall, myn yffach i. Wedi mynd i'r ffrynt, fel pob un o'r bois o'r pentre 'ma. 'Sneb ar ôl 'ma,

180

chi'n gweld.' Gyda hyn dyma'r ddynes yn diflannu a'r ffenest yn codi i gau'n glep.

*

'Are you in this war, private?' chwyrnodd Sarjant Hughes wrth frasgamu'n gefngrwm tuag ato i fyny'r bryn a hanner dwsin o ddynion wrth ei gefn.

'Yes, Sergeant,' meddai Ephraim, yn gwthio'i gefn oddi ar lawr ac yn eistedd i fyny yn cydio yn ei reiffl. 'My friend, Sergeant.'

'He's dead, man,' meddai'r sarjant yn brysio heibio heb aros. 'Follow me.'

Wrth gwrs ei fod o, meddyliodd Ephraim, a fyddi ditha hefyd mewn 'chydig, yn rhuthro 'mlaen fel yna, Sarjant.

Cododd ar ei draed ac aros ar ei gwrcwd yn nodio ar y dynion yn pasio er mwyn dilyn y sarjant i fyny'r bryn.

Arhosodd yr olaf ohonynt, Emyr, a dweud, 'Pritch. Ti'n iawn?' Nodiodd Ephraim a disgynnodd llygaid y glöwr mawr ar gorff llonydd y bragwr bach. 'Watkins. Diawl!'

''Sa'm marc arno fo, dwi'm yn dallt,' meddai Ephraim.

Pwysodd y glöwr a chydio yn llawes tiwnig Ben Watkins wrth ei ysgwydd a'i droi drosodd ar ei fol. Edrychodd y ddau ohonynt ar y mymryn arian o shrapnel, maint llwy de, yn gwthio allan o'i wegil. Nid oedd unrhyw waed na chlais.

'Yffach,' sibrydodd Emyr a'i droi 'nôl ar ei gefn. Edrychodd ar Ephraim. 'Ti'n dod 'chan?'

Nodiodd Ephraim a dilyn y glöwr tuag at flaen y gad.

Gwelodd Ephraim filwr Prwsiaidd yn codi o'i guddfan o'r tu ôl i goeden syrthiedig a saethu Sarjant Hughes yn gelain o ddeg llath. Cododd ei reiffl i'w ysgwydd a saethu at y goeden gan yrru'r Almaenwr yn ôl i'w guddfan. Dyma'r tro cyntaf iddo danio'i reiffl yn y pump awr a rhagor ers iddynt adael ffos White Trench.

'Ffordd hyn, hogia,' clywodd ei hun yn dweud gan frysio'n syth i gyfeiriad y goeden a'r Almaenwr cudd. Pan gyrhaeddodd Ephraim gorff y sarjant daeth y gelyn i'r fei unwaith eto a chodi'i reiffl. Ond roedd yn barod amdano a saethodd yr Almaenwr a hwnnw'n disgyn yn syth i lawr, fel pe bai wedi llewygu. Dringodd dros y goeden a gweld y dyn yn edrych arno, ei lygaid yn agored ac yn wag. Roedd yr un mynegiant syn ar ei wyneb ag a welodd ar wyneb Ben Watkins ychydig ynghynt. Cododd ei ben a syllu ar y drysgoed trwchus tywyll o'i flaen. Ffrwydrodd ambell i fom lai – bomiau llaw – yma ac acw. Gwelai fflachiadau ysbeidiol yn tanio o wn neu reiffl yn y düwch. Clywodd fwled yn gwibio heibio'i glust fel cacwn ar frys gwyllt a chafodd ei yrru i guddio dan y dryslwyn o flaen y goeden. Arhosodd yno am awr heb weld neb a'r frwydr yn dwysáu o'i gwmpas.

Cydiodd rhywun yn un o strapiau ysgwydd ei wregys bwledi a'i droi ar ei gefn. 'Are you injured, soldier?' gofynnodd y milwr diarth iddo.

Ysgydwodd Ephraim ei ben yn araf a phwyntio at ei glust dde.

'Can you hear me?' gofynnodd y milwr a gwelodd Ephraim streipen wen is-gorporal ar ei fraich.

Ysgydwodd ei ben eto ac edrych yn ddigalon ar yr is-gorporal.

'Well you can't stay here.' Cydiodd yn dynn yng ngholer Ephraim a'i lusgo ar ei draed. Pwyntiodd i mewn i'r goedwig gyda blaen ei reiffl gan amneidio â'i ben. 'Follow me.'

Gwasgodd Ephraim helmed y bragwr yn dynn a'i rhoi yn syth ar ei ben, cydiodd yn ei reiffl a dilynodd yr is-gorporal i mewn i'r tywyllwch.

*

Yn ei freuddwyd roedd Ephraim yn hedfan uwchben y gyflafan, yn edrych i lawr ar y milwyr bychan yn brwydro yn erbyn ei gilydd. Yn lladd ei gilydd islaw. Trodd i edrych ar ei ddiawl yn hedfan wrth ei ochr a gwên erchyll ar wyneb y bwystfil.

Deffrodd wedi'i wasgu'n belen yn rhynnu fel oen amddifad. Gorweddai ar ei ochr rhwng dwy goeden syrthiedig gyda'i bengliniau i fyny at ei ên. Trodd ei ben ac edrych ar y llwydni drwy'r gorchudd o frigau a dail am ei ben. Cododd gan wthio drwy'r blerwch a theimlo'r glaw yn disgyn yn ysgafn ar ei fochau. Roedd ei ddillad yn wlyb diferol ac yn drwm ar ei ysgwyddau blinedig.

Bore trannoeth llonydd.

Cydiodd yn ei reiffl, croen ei law yn borffor dan y budreddi, a dechrau cerdded tuag at sŵn y frwydr tu hwnt.

Codai llethr yn ddu fel glo o'i flaen a'r coed yn deilchion tywyll, blêr ar y gorwel yn erbyn yr awyr lwyd ganol bore. Cerddodd yn ofalus dros y brigau a'r cyrff, ei reiffl yn arwain y ffordd. Clywodd y gynnau mawr yn y pellter yn bwrw'u dinistr ar ryw ddarn arall o'r wlad; ddim yn bell, ddim yn agos.

Cerddodd ymlaen i fyny'r allt am ddeng munud heb weld yr un enaid byw.

Clywodd sŵn griddfan o'i flaen a gwasgodd yn dynn yn ei reiffl, y mwd sych ar ei ddwylo'n rhannu'n graciau mân ac yn tynnu ar flew ei groen. Cerddodd ymlaen a'i reiffl i fyny wrth ei ysgwydd er nad oedd ganddo fwledi i'w saethu mwyach.

Yna gwelodd Almaenwr yn gorwedd ar ei gefn, botymau'i diwnig yn disgleirio'n rhes o gnepynnau trefnus yn erbyn llanast y gadfa fudur. Ni allai Ephraim weld ei wyneb tu ôl i gangen ddeiliog oedd yn ysgwyd wrth i'r milwr ymrafael â hi. Gwelai fod ei goes wedi'i thorri'n ddifrifol a'i esgid uchel ddu wedi'i phlygu'n annaturiol erchyll wrth ei ffêr. Arhosodd nes bod y milwr wedi symud y gangen oddi ar ei wyneb gyda'i ddwylo rhydd. Nid oedd ganddo unrhyw arf. Edrychodd Ephraim arno a gweld Caleb y Pwyliad o Stettin yn syllu arno, ei lygaid yn amhosib o wyn a'u hymylon yn goch gan waed.

Ysgydwodd pen Ephraim mewn braw wrth syllu ar wyneb ifanc fel plentyn Caleb. Wyneb cyn i'r llygod mawr fwyta'i gi dan y bont yn Stettin. Wyneb llanc. Teimlodd ddeigryn yn cronni yn ei lygad dde a disgyn yn hallt i'w geg agored. Camodd yn nes a'r hogyn, Caleb, yn edrych arno fel pe bai'n ddiafol.

Tynnodd Ephraim ei helmed i ddisgyn i'r llawr gan gadw'i reiffl yn pwyntio tuag at frest y milwr. 'Ich bin es, Ephraim,' meddai gan geisio gwenu ar y llanc, a methu. Syllodd yntau yn ôl arno'n wag, ei ddwylo'n agored ac i fyny'n uchel o'i flaen.

'Ist deine Name, Caleb?' gofynnodd Ephraim, yn bygwth y llanc gyda'i fidog. Edrychodd y llanc arno â'i lygaid mawr a'i geg yn agored. 'Ist deine Name, Caleb? Caleb!' bloeddiodd eto.

'Nein, ich heiße, Wilfried,' atebodd y llanc, ei lais yn hercian ac yn ysgwyd ei ben yn ffyrnig.

Tuchodd Ephraim a dweud, 'Wilfried.' Edrychodd eto ar wyneb y llanc a gweld dim tebygrwydd i'r Pwyliad o Stettin yno o gwbl. Suddodd ei fidog yn gyflym a phendant drwy waelod gwddf y milwr.

Ar yr un pryd teimlodd Ephraim rywbeth estron, rhuthrol a threisgar yn byrlymu trwy'i ysgwydd cyn rhwygo trwy'i asgwrn cefn a diflannu allan trwy'i fraich dde. Ni chlywodd yr ergyd yn gadael reiffl.

Disgynnodd, fel coeden wedi'i chwympo, a gorwedd ar ei gefn. Roedd ei ysgwyddau wedi'u gwasgu rhwng dwy gangen drwchus, a'i ben yn gorwedd ar fwa'r gainc.

'He was talkin' Kraut, I 'eard him,' meddai'r milwr, yn crynu wrth sefyll dros ei gorff disyflyd.

Teimlai Ephraim ei holl egni'n suddo trwy'r dail a'r brigau mân i'r pridd, fel pe bai'n gawod gyntaf wedi haf poeth. Nid oedd mewn poen, yn wir ni allai deimlo'i fysedd hyd yn oed yn hofran fel crafangau o'i flaen, ei freichiau'n estyn am y lloer. Wrth edrych ar ysgyrion y goedwig heibio'i ddwylo a chlywed twrw'r hogyn yn crio wrth ei draed, daeth y düwch i gau amdano. Gwyddai'n syth nad cwympo i gysgu ydoedd, na llewygu cyn deffro eto mewn rhyw wely clyd chwaith. Gwyddai Ephraim Pritchard mai marw ydoedd.

Meddyliodd am wenu.

Epilog

CHWIFIODD Y MILWR ei law ar Huw o ochr arall y llwybr llydan a holltai'r goedwig yn ddwy. Aeth i'w boced a dangos paced coch a gwyn o Wild Woodbine iddo. Nodiodd Huw a dechrau camu'n araf ofalus drwy sbwriel y canghennau a brigau ar lawr y goedwig tuag ato.

'Su'mai?' gofynnodd wrth agosáu at y milwr, gyda'i groes goch feddygol ar ei rwymyn braich gwyn, yn eistedd ar garreg fawr.

'Iawn. Ti moyn un?' cynigiodd y pecyn i Huw ac ysgwyd sigarét allan gyda thro ei arddwrn.

Cymerodd Huw y mwgyn a gofyn, 'Ffeindiest ti unrhyw un?'

'Dim ers bore 'ma. Smo ni'n mynd i ffindo neb nawr, sai'n credu.' Taniodd sigarét Huw cyn rhoi fflam i'w fwgyn ei hun. 'Wow funed, wi'n gweud celwydd nawr. Un o'r London Welsh bois gynne, lan wrth y second line. Pallu'n deg â symud.'

'O,' meddai Huw yng nghanol sugno'r mwg yn ddwfn i'w ysgyfaint.

'Wedi saethu un o'n bois ni, medde fe, achos bo' fe'n meddwl mai Jyrman o'dd e. Ballodd e symud. Bygwth fi 'da'i bayonet a chwbwl.'

'Bysa fo'n gall i anghofio am rwbath felly,' meddai Huw. 'Ma'r fyddin yn rhoi dy sigarét ola i chdi am dipyn llai.' Dangosodd ei fwgyn i'r medic a gwenu arno.

'Ma sôn bod y bigwigs yn grac 'da ymdrech y bois. Alli di gredu'r peth?'

'Gallaf,' meddai Huw, yn gosod ei hun i eistedd ar gangen drwchus.

Eisteddodd y ddau yno am ychydig yn llonydd yn y tawelwch a gwrando ar y rhyfel yn bell i ffwrdd a smocio'u Wild Woodbine.

Cododd y milwr ar ei draed. 'Wel, well i ni …'

'Ia,' meddai Huw. 'Cyn i'r glaw 'ma ddechra.'

'Glaw di-ben-draw,' meddai'r medic a dyma'r ddau yn gwasgu'u sigaréts yn farw gyda'u bysedd budur. Ysgydwodd Huw law â'r medic ac edrych arno'n cerdded yn ofalus i lawr y llannerch llydan. Cododd ei rwymyn braich gwyn gyda chroes goch arno a'i roi i orwedd yn nes at bont ei ysgwydd. Edrychodd i fyny ar yr awyr dywyll ac ysgwyd ei ben.

Hoffwn ddiolch i Elinor a phawb yn
Gomer am eu gwaith diwyd wrth
baratoi'r gyfrol hon, hefyd i Agnieszka
Szymoniak am ei chymorth gyda'r
Bwyleg ac i Myfanwy Jones am ei
chymorth gyda'r Almaeneg. Diolch hefyd
i Ifor am ei gyngor ac fel arfer i Hawis
am ei hamynedd a'i chymorth parod.

Diolch yn fawr i Gyngor Llyfrau Cymru
am eu cefnogaeth ariannol.

Hefyd gan Alun Cob:

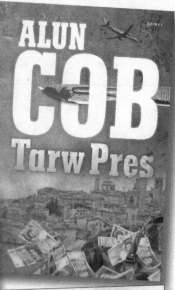